黃英雄歌仔戲劇本集①

黃英雄著

羅漢腳仔

文史哲出版社印行

感謝國立傳統藝術中心籌備處補助出版

黃英雄【著】

黃英雄歌仔戲劇本集

第一輯

【推薦序】在場的藝術

李 喬

跟黃英雄先生結識，是在公視單元劇「過年」拍片現場。在「過年」裡我以「會說客語，會唱日本歌的老頭子」條件，榮膺主角。黃先生找上來是討論拙作「台灣，我的母親」改編爲舞台劇的事宜，以後迤及公視製作「文學過家」。黃先生熱心傳授經驗，也參與劇本的寫作。幾年的接觸瞭解，知道黃先生是一位識廣多能，全心投入戲劇的教學、編導，偶爾也上場一獻身手的人物。

最叫人驚訝的是這位出入學院的劇界全才，卻對於發軔發展於台灣社會的「歌仔戲」情有獨鍾，創作了多部精彩歌仔戲劇本，而且每一部都上演了。創作新戲是歌仔戲界盛事，黃先生於此一往情深，成績斐然，令人驚喜叫人敬佩。

歌仔戲的形式介於「戲劇」與日本的「歌舞伎」(kabuki)之間。其淵源衆說紛紜，可確定的是有歌有舞又有劇(劇情的戲表現)的歌仔戲，完全是台灣常民社會中發展出來的，早期幾乎被棄於所謂上層社會，然而它是常民的主要娛樂方式，因其貼近常民的喜怒哀樂，所以活力十足。也許有其藝術境界的侷限，但這不是重點，歌仔戲發展的根本阻礙是在題材劇目的陳舊而主題失時且多含負面的東西，相對的，眞正反映當下現實的劇本幾乎長久缺席。誠然，在某藝術形式下，題材主題是有可能普同而永恆的，但是如果不能與現實當下有所呼應，必然祇能置諸博物館作永久紀念。換言之，「陳世美棄糟糠」「貍貓換太子」——依然可以棄、可以換，但主題設計上要能觸動現代人「婚姻不穩」「官場的以假亂眞」的「現實」，不然，「陳世美行爲模式」誰都不動容；「嬰兒管理規則」誰都不相信的。另一方面，現實人間太多太多可以入戲上舞台的了；如果歌仔戲不能將現實人間，或寫實呈現，或變形演出，歌仔戲就難免被判出局命運。歌仔戲原本是十分自由活潑的舞台表演，然則彼若不測，劇作家便是第一罪人。

人類經由長遠的歷史經驗累積，恍然於當下現實最珍貴的體悟，再經由神學的、哲學的、歷史學等等的深化探討，確定「藝術必須在場」的理論基礎，而藝術呈現成績證明了這個理論。歌仔戲和其他藝術品必須「在場」（presents）方能活潑發展、被喜愛；在被喜愛之下吸收滋養而繼續壯大、提升。在這個角度看，黃英雄先生獻身歌仔戲新劇創作，成了「寂寞英雄」，可敬可賀。

黃英雄先生的劇作，取材普及古今國內外，而主題不忘與現實對話，一一切合上文所述特色，就文本論，有下列各項特色：

一、故事性頗強，道白增加，唱工減少，這一點明顯的與傳統風格有異。

二、台詞平白，有現行普通話傾向。幽默風趣的風格，則與傳統若合符節。

三、主題傾向上，繼承了傳統歌仔戲、客家採茶戲的共同特色：弱者復仇得勝，苦中作樂永不妥協放棄。劇中多苦情，但哀而無傷，怨而不恨，這是十足的傳統歌仔戲風格。

四、取材廣泛，眼光獨到，除了創作性的「古事新寫」的「比文招親」「再生緣」外，創作的渡台先民劇：「羅漢腳仔」；兒童歌仔戲劇本：「財神請鼓掌」是教育部文藝創作獎首獎作品；「台灣，我的母親」是三千行敘事詩改編的歌仔戲劇本。「聖劍平冤」是台灣式的「哈姆雷特」（黃先生自云，脫胎於莎翁的「哈」劇。）

——由以上的羅列可知，黃先生用心之深與用力之勤，也可見其野心不小。黃先生除劇作之外，還寫小說等，且出版多部，鮮為「外人」知的是，彼又練武功教拳術，還是河南溫縣陳家溝陳氏太極拳嫡傳十九代傳人。至於未來志業，黃先生殷勤致意：希望以戲劇的形式，深究人的心靈奧秘，描繪廣大宇宙中，人是什麼？人的存在意義云云。而在途徑上，可能經由佛經的勘悟，尋獲那拈花微笑的本來面目……

黃英雄先生是實實在在「在場」於台灣當下現實的劇作家、勤奮的導演。其立足於本土的「在場劇作」，豐富了吾人的歌仔戲；必然的彼在歌仔戲發展史上，已然奠定了不可移易的地方。為黃先生賀，更為歌仔戲喜。謹此為序。

（本文作者李喬先生為國策顧問）

【自序】

種子落地·生命開始

黃英雄

從事歌仔戲劇本創作的時間雖然不很長，卻絕不是偶然。

從前廟會迎神賽事之後，隨之而來的是布袋戲或歌仔戲的演出。在缺乏娛樂的那個年代，能夠在黃昏洗完澡，全身輕鬆舒坦地來到廟前觀賞演出，是令人無比雀躍與期待的事。

每每觀賞之後，不自覺地沉浸在劇情溫馨對待中，有股即將幻化爲劇中人物的衝動；雖然有時不免對自己的傻啞然失笑，卻又喜愛那種韻流而無法自拔。

五、六0年代的台灣，曾以歌仔戲演員爲班底，拍攝了大量的台語電影。特殊的組合不只對當時台灣電影工業有了直接的貢獻，更兼負了歌仔戲的轉變延伸與另一個空間的發展。今年剛逝世的李泉溪導演堪稱這方面的權威，拍了一百多部的歌仔戲電影，無人能出其右。

筆者有幸與李導演共同爲公共電視製作編寫了廿五集連續劇「春花望露」，過世前一星期，還吩咐我代爲出外景爲光啓社導戲；未料戲方殺青，卻接獲他仙逝的消息，心中眞是百感交集。只是沒有機會告訴他，在他生命接近尾聲中最信賴的人，其實是小時候受他戲劇影響最深的人。這本劇集的出版，李導演絕對與有榮焉。

近年來有所謂精緻歌仔戲的推出。剛起步時，多以大陸編寫的劇本演出，某些劇目確實有其攝人的場面與精彩的衝突。

但以整體的創作而言，劇本並非原創而略顯遺憾。

雖然曾在適當的時機中提出懇切的建言，但並不受採納；甚至有人直指會有這種結果，實在是因爲台灣缺乏歌仔戲的編劇。

民國八十五年參予台北市政府舉辦的戲劇季，受邀編寫了歌仔戲「比文招親」，在台北社教館連滿三場，增添了自己對歌仔戲劇本創作的熱情與動能。在觀衆席中聽到如雷的掌聲，心中當下暗自期許，有生之年，一定要爲台灣留下一百本的創新歌仔戲劇本。

此次蒙傳統戲曲籌備處的贊助，將六個劇本分兩冊出版，應該是很好的開始。

期望這些劇本能夠由點而面地擴展到全台的歌仔戲劇團、以及喜歡歌仔戲的學子手中；希望能對他們的表演有著些許的互動與助益，更期盼有拋磚引玉之效。

出版的另一緣由，也有著普及「著作權」的心願與觀念。

以「比文招親」爲例，首演之後立即被高雄某劇團演出，更甚者參予首演的某些演員將「比文招親」拿到某有線電視分上下集演出。雖然劇名改了，劇情也略作修改，劇中人名卻大多相同，但這製作團體事前卻未知會作者。

特別提出這個事實，只想平靜地分析歸納，日後歌仔戲想成爲有力且受重視的劇種，每位參予者必先學會尊重別人，才能受到別人的尊重。

感嘆歌仔戲長期以來是個「艱苦」的藝術行業，且都缺乏著作權法的認知和訊息，但只要努力傳遞這種認知，相信日後的會步上正軌的。因此心中難過了二個小時後，就暗暗原諒他們了。

懷著一個臨界點的期許，但願這本劇本集的出版，能給予所有喜歡歌仔戲的人共同的勉勵與認知。引用劇本演出前，打個電話告知編劇，起碼是一名辛苦的戲劇創作者最卑微的期許吧！

劇本集中「台灣我的母親」歌仔戲劇本改編自李喬老師的同名長篇詩集。曾由筆者編寫成「咱來去番仔林」客家舞台劇，在台北社教館演出；後被河洛劇團相中，再由筆者改編成歌仔戲在國家戲劇院演出。唯演出本與當時送審原創略有不同。

在此要特別感謝李喬老師的慷慨，同意我將此劇收錄在個人創作集中，更要謝謝他以疼愛後輩心情爲本劇集寫序。

謝謝關心我的師長、朋友諸多鼓勵，謝謝雷清芬、孫素蘭於百忙中協助打字、校稿、編排，也謝謝周婉菁的資訊提供與勉勵。你們的支持是我能於艱困中勉力完成此書、並且順利出版的動力。

目錄

第一本　羅漢腳仔……一一
序　場　械鬥……一六
第一場　邂逅……一八
第二場　惡耗……二六
第三場　海賊……三四
第四場　玉印……三七
第五場　重逢……四五
第六場　陰謀……五六
第七場　擒凶……六五
第八場　雨尾……七八
第二本　台灣・我的母親……八九
序　場　惡耗……九四
第一場　出殯……一〇一
第二場　婚禮……一一〇
第三場　衝突……一一八
第四場　天災……一二三

第五場　分枝……………………一二六
第六場　離家……………………一三六
第七場　戰後……………………一四三
第八場　洗腳……………………一五二
第九場　抗暴……………………一五七
第三本　聖劍平冤……………………一六三
序　場　花園殺機……………………一六七
第一場　太子回朝……………………一七一
第二場　幽明之間……………………一八二
第三場　玉璽之謎……………………一九三
第四場　陰謀再現……………………二〇三
第五場　太子發狂……………………二〇九
第六場　巧遇戲班……………………二一七
第七場　粉墨登場……………………二二四
第八場　玉璽重現……………………二三二
附　錄　歷年創作紀錄……………………二四一

九十年度教育部文藝創作獎
歌仔戲劇本項第三名

羅漢腳仔

故事大綱

「羅漢腳仔」是獨自渡海來台的先民，在艱困環境中奮鬥的寫照；雖有單身漢的意涵，卻潛藏更多的先民血淚史。

以卑微風趣的腳色貫穿全劇，除了展現輕快的戲劇動力，重要的是呈現另一角度的先民性格——希望與樂觀。

傳說台北下雨後，淡水就會下雨，故古名滬尾（雨尾）。

本劇以滬尾爲場景有其重要的象徵與意涵，雨過天晴也正是找到人性光輝的時刻。

從泉州渡海來台的邱松始終一事無成。

向媽祖求籤，謂其日後有妻有子有田有屋，但他卻快餓死了。

不得已參加漳泉械鬥以求一碗飯吃，卻在死人堆裝死，撿拾死人錢袋、敲人金牙，最後卻全部在賭場輸光。

媽祖廟內救了偷渡來台尋找未婚夫的麗雲，送她去滬尾（淡水），卻發覺未婚夫遭人謀害，房子也遭回祿之災。

收留麗雲的縣官師爺劉實其實對她有野心，卻發覺邱松身上有顆偷來的玉印，誤認他是朝廷密使，遂向縣太爺進言，欲將麗雲嫁給邱松。

邱松害怕，欲帶麗雲逃走，眞正的密使卻要他假戲眞作，不但查出劉實是害死麗雲未婚夫的兇手，更是聯絡海盜的內賊，另一項罪狀則是煽動漳泉械鬥。

邱松得了許多賞錢，但又輸光了。與麗雲其實早已互生愛意，在滬尾（雨尾同音）漸漸放晴之日，邱松終於留在滬尾幫麗雲重建新屋，也揮別了羅漢腳仔的日子。

人物表

邱　松：男，廿六歲，不學無術見風轉舵的羅漢腳仔，雖有人性的缺點，卻有一顆善良助人的心。

林麗雲：女，廿歲，個性堅毅有主見。坐船渡海來尋未婚夫，卻發覺被人謀害。

劉　實：男，四十歲，縣官師爺，爲人奸詐陰狠，謀奪劉昌財產，煽動漳泉械鬥，又與海盜裡應外合，欲搶滬尾（淡水）

縣　官：男，五十歲。糊塗無能，不知人間疾苦，放任劉實欺壓百姓作威作福。

老　者：男，五十歲，朝廷密使施夢麟，暗訪滬尾漳泉械鬥之事，並破獲海盜搶劫計劃。

阿　吉：男，廿五歲，密使駕前的將軍柯銘吉，武功高強。

簡　添：男，五十五歲，漳州頭人。

劉　川：男，五十六歲，泉州頭人。

阿　坤：男，三十歲，賭場老闆，也是海盜同夥。

鳳　仙：女，廿五歲，紅牌酒女。
其　他：官差若干，漳州、泉州族人若干

場景表

溪邊平原
媽祖廟內
劉實客廳
縣衙公堂
客棧客房

序場 械鬥

場景：溪邊平原

時間：十九世紀末清朝統治的台灣

人物：邱松、簡添、劉川、劉實、漳泉族人若干

△幕起之前，幕後傳來集體吆喝打鬥聲，聲音在合唱聲中愈來愈近、愈來愈慘烈。

合唱：蓬萊自古是寶島
遊民偷渡黑水波
漳泉相爭惹民禍
害得羅漢腳仔四界逃

△幕起之際，廝殺吶喊聲震憾了舞台。

△漳州頭人簡添帶領大隊人馬從左舞台出。師爺劉實上前攔阻並向簡添耳語，簡添大怒，招呼漳州族人攻向右舞台。

△泉州頭人劉川帶領大隊人馬從右舞台出，師爺劉實上前攔阻並向劉川耳語，劉川大怒，吆喝泉州族人攻向左舞台。

劉實：哈……（唸）仙拼仙害死猴齊天，
漳泉二族實在眞可憐
煽動的話只要講兩三遍

兩邊相打頭殼「慶煙」（冒煙）

△劉實下，驚慌失措的邱松上，背後揹著一把雨傘

邱松：（唸）本來以爲滬尾好賺吃

誰知遇到漳泉在相拼

我嘛不知叨一邊會贏

押不著堵（選錯邊）一定會無命

△此時從左右舞台衝出的漳、泉兩方人馬，在簡添和劉川帶領下分持武器一擁而上，展開慘烈的近身肉博戰。

△邱松夾雜在陣中，好幾次生命危急之際，不惜跪下求饒，或見漳州人士站上風之際，立即扯下頭上白布巾換上黑布巾；但泉州人反佔上風時，又立刻捉下黑布巾換上白布巾。

△邱松在雙方人馬血拼中，爲了活命，不太會武功的他在死人堆中一會兒裝死，一會兒爬行，終於狼狽地「屍遁」而去。

△雙方人馬戰況愈來愈慘烈，死傷不計其數。

△燈暗

第一場 邂逅

場景：媽祖廟內

時間：序場之後的夜晚

人物：邱松、麗雲、官差甲乙

佈景：是一般鄉下小廟的格局，大殿上的媽祖神像是先民由唐山揹來供奉，故不宜太大。香爐內素香三支，雲煙裊裊，似乎剛有人上過香，但殿內卻是一片空寂，連個人影也沒有。雖然廟內沒什麼擺設，但簡陋古樸中透發出一股肅穆莊嚴。

△承上一場打殺連天的聲響逐漸遠去，燈亮時，邱松連滾帶爬狼狽地躲入殿中，急急閃躲至神桌旁，驚魂未定的雙眼向四周搜尋，確定沒有人追來之後，緩緩吁了一口氣。

邱松：哇……好佳哉我邱松命太大咧，若無像彼種泉州和漳州爲了水源在拼生拼死，十條命嘛死無夠，人講流流鬚鬚吃這兩粒目睭、若不是我走得快，恐怕要在台灣作無名屍，話擱講倒返來，平平攏是唐山來的，何必爲了一點小事殺得你死我活？實在眞是想不開——

△邱松這回瞧見殿上的神祇，媽祖神像似乎正他微笑。

邱松：咦？這甘不是媽祖廟？

（唱）凶凶走入這個廟埕

看到媽祖坐加眞適正
外口還擱咧拼輸贏
我先來乎媽祖加我收驚
（唱）雙手合什我心肝痛
出世就抱去乎妳作契子
算來妳嘛是阮阿娘
甘知我落魄無人疼
（唱）若不是故鄉眞歹賺吃
怎會坐船過海來打拼
作羅漢腳仔甘講是註定
乎人欺負像魚仔落鼎

△邱松從神桌上取下「神杯」。

邱松：媽祖，我自出世就乎你作契子，今日我來台灣一事無成又落難險險身亡，你嘛乎我一個指示，看我將來有啥好時機？

△邱松喃喃祝禱，在籤筒內抽山一籤，然後丟下神杯。

邱松：啊？「聖杯」？這到底是啥籤？

△邱松至牆邊一排放籤文的地方，按抽出的竹籤對照後，撕下籤文。

邱松：（唸） 巍巍獨步向雲間，玉殿千官第一班

富貴榮華天付汝、福如東海壽如山

啊?這支明明是籤王?

(唱)抽到好籤心歡喜

歸身軀茫茫飛上天

算命講我大隻雞慢啼

甘講我要踏到好時機?

(唱)籤中指示寫分明

講我有地有厝歸落間(好幾間)

還有水某與我相牽成

這甘是夢中才有的情景?

△邱松興高采烈,但很快發現自己的落魄相,不免沮喪起來。

邱松:(唱) 作人自己愛知輕重

有啥密風才駛啥密帆

一定是媽祖看我像青仔欉

才故意加我來戲弄

△邱松上前幾步,端詳著神桌上的媽祖。

邱松:媽祖呀媽祖,我知影你在「滾笑」。我自己三兩「噁仔」(小籃子)有除。我兩支腳提兩粒卵葩,「空手糊蝦」從唐山來台灣,不敢有啥希望,只望將來有一塊自己的厝和田。籤詩上講的娶水某，生貴子，起大厝、福祿全？這怎麼會是我的命？算了，我啥攏不敢想，現在只想先找個地方，好好睏一覺，就心滿意足了。對！睏在神桌的下面，絕對無人會加我吵——

△邱松鑽入神桌下，立時傳來女人尖叫聲

△女子麗雲從神桌下驚惶奔出，邱松似乎也嚇了一跳，爬出神桌訝異地望著女子。

麗雲：你……你想要作啥？

邱松：我才要問妳要作啥？妳無代無誌避在桌下，甘知影我乎妳驚一下？我看愛吃妳的口水才不會作惡夢

△邱松輕薄地上前，麗雲驚惶退步

麗雲：你……你要作啥？

邱松：我……？跟妳「滾笑」的啦，是講奇怪，妳自己一人來這作啥？

麗雲：我……（猶豫）

邱松：放心啦，有啥困難儘量講乎我聽，我會替妳解決。妳是來這避雨的？濕雨就是雨尾，雨都下不停。

麗雲：無啦，無啥代誌——

△麗雲面露惶恐提防的表情，轉身急急離去。

邱松：喂……查某……難道我是這麼歹看面？是講莫怪啦，一個查某跟一個查埔在這個媽祖廟內，難免會乎人議論。算了，不要理她，還是睏我的——

△邱松正欲入神桌下，麗雲又急急奔入，邱松反而嚇了一跳。

邱松：哇，妳要乎我驚死？

麗雲：拜託咧，那兩個官爺若問你，你就講沒看到我——

邱松：妳講啥？

△麗雲顧不得回答，急急鑽入神桌下

邱松：咦？現在是啥情形？

△邱松正疑惑之際，從外走入兩名官差。

差甲：喂！你叫啥名？

邱松：官爺，小的叫邱松。

差乙：你在這作啥？

邱松：我？拜拜呀！本來在滬尾（淡水）加人作長工，可是前日乎頭家辭頭路，所以才來媽祖廟拜拜，希望媽祖指點乎我趕緊找到頭路。

差甲：哦？原來是按呢。我問你，你有看到一個查某跑到這兒來嗎？

邱松：這……有！

差乙：啊？人呢？

邱松：又跑了，匆匆忙忙跑進來，看到我一個人，又擱凶凶狂狂跑出去，我知道了，一定是賊仔！

差甲：你黑白講啥？昨日有一條偷渡的船在外海翻船，所有偷渡的人攏已經抓到，就只有一名查某乎走去。

邱松：啊？唐山偷渡的？

差乙：別跟他說了！咱們快追吧！喂，邱松，若有看到人要趕緊來報官。

△官差甲乙急急追出。

邱松：會！我一定會——

△邱松見二人離去，走到桌旁，用手敲桌子

邱松：喂！人都已經走了，妳可以出來了。

△麗雲戰戰兢兢走出，但依然對邱松相當提防。

麗雲：多謝這位兄長……

邱松：原來妳是從唐山坐船偷渡的？人家偷渡攏嘛像我這種有路無厝的，那有人像妳這

種千金小姐？

麗雲：我……兄長聽了……

（唱）百般無奈將黑水溝來渡

豈知翻船上岸卻難行寸步

好佳哉遇到貴人來相助

麗雲永生沒齒難忘

邱松：（唱）妳甘知影黑水溝有多深

朝廷早已下旨頒海禁

官差個個親像虎和熊
偷渡抓到損到金金

麗雲：（唱）過海而來不是無原因
未婚夫來滬尾全無音信
我在泉州已經無娘親
冒險過海想要見伊一面。

邱松：（唱）別人攏有查某對伊這麼好
只有我一人治咧「言仙哥」（王老五渴妻的焦慮）
甘講前世我有作啥差錯
「好孔的」攏是別人我攏無

△麗雲哭泣，邱松趨前安慰

麗雲：兄長……

邱松：叫我阿松就好！看妳實在眞可憐，自己一人要去滬尾，別說遇到要抓妳的官差，若遇到歹人，絕對乎人騙去賣！

麗雲：啊？按呢要按怎？

邱松：看來我只好再作一次好人，滬尾街仔我眞熟，趁現在天要亮了，我帶妳去！

麗雲：啊？眞的？眞勞力——請稍等一下，——

邱松：啊？妳還有啥代誌？

麗雲：我能夠平安到台灣，一定是媽祖逗保庇，我現在要擱向媽祖許願。

邱松：許願？不用啦，我交待媽祖的代誌伊就眞無閒了，哪有閒工聽妳許願？

麗雲：咦？無火也無香？對啦，地上有一支枯枝，我就折枝爲香……

△麗雲以枯枝折爲三支虔誠地祝禱起來

麗雲：（唱）柴枝當作是清香

心中暗暗向媽祖求

只望夫君有成就

不枉冒險過海來渡舟

邱松：（唱）看伊生水（美）像花開在新春

皮膚又擱親像剝夾的竹筍

鴨母寮那有過暝的「土隱」（蚯蚓）

若有機會我想招伊逗陣來消魂……

△突然雷聲大作，邱松嚇了一跳，又故作正經起來。

邱松：喂，「陳雷公」了，要走要趕緊，若無半路會「淋猴」，妳甘知影這兒是按怎叫「滬尾」？就是艋舺大稻埕那邊下過雨，就換這邊下，所以叫「滬尾」（雨尾），這個所在怎麼會興？攏是撿人家的屎尾仔——

麗雲：滬尾？雨尾……（喃喃）

△麗雲若有所思，雙手向媽祖合什參拜後，隨邱松離去。

△雷聲持續，殿上媽祖的表情在閃電中透發一股紅光，更顯得威嚴。

△燈暗

第二場　惡耗

場景：劉實客廳

時間：前一場之後三個時辰

人物：劉實、邱松、麗雲、家僮、丫環若干

佈景：是一間大富人家的廳堂。各類擺飾不缺，但可看得出主人是附庸風雅。

△燈亮時，在縣府當師爺的劉實正與幾名丫環嬉戲。

劉實：（唱）若講作人「搖擺」（神氣）就是我

雖然縣衙師爺不是官

各種公文攏愛乎我看

啥人看到我攏愛流冷汗。

△劉實欲抓一名丫環，不小心反跌個四腳朝天，丫環們笑成一團，正好家僮入內見到，亦忍不住偷笑

劉實：笑？有啥好笑？

家僮：老爺……外面有人要找你？

劉實：今仔日縣老爺不在，我好不容易休息一日，出去出去！啥人我攏不見。

家僮：哦……可是要找你的人是一個「眞水」的查某呢！

劉實：啊？眞水的查某？你還站在這兒作啥？緊請伊入來呀！

家僮：哦？轉得有夠快——

△家僮走出，劉實向丫環揮揮手

劉實：人客來了，妳們快進去——

△丫環們不太情願地入內。劉實一轉身見家僮帶麗雲和邱松入內，劉實眼睛一亮……

劉實：啊？街頭街尾找透透，從來不曾過這麼水的姑娘……

家僮：老爺——

劉實：啊？無你的代誌，你先下去。

△家僮點頭離去。

劉實：妳……妳們找我何事？

邱松：這位老爺，阮是要來加你請教，不知你認識隔壁一位劉昌否？

劉實：劉昌？你問伊作啥？

邱松：我看還是乎伊自己講——

麗雲：（唱） 麗雲是從泉州坐船來

要找劉昌我未婚的尪婿

來到滬尾這個「青份」（陌生）的所在
冒昧求見才會入你的厝內

△劉實望著麗雲，一付好色的模樣

劉實：（唱）不曾見過這麼「水」的美女
這粒明珠莫非是天賜

邱松：（不悅）
（唱）這個人一定是出世在豬哥窟
若無看到查某目睭怎會無轉珠？

劉實：原來是按呢，麗雲姑娘，妳算是找對地方了，不瞞妳說，我正是劉昌的叔伯兄哥，我叫劉實。

麗雲：眞的？那你一定知影劉昌的去處？爲何隔壁伊住的所在會變成一片焦土呢？

劉實：這嘛……既然妳攏親身找來了，我也不敢瞞妳。上個月海賊上岸，不但四處打劫又擱殺人放火，劉昌伊的厝不但被火焚燒，人也被海賊所殺，一命嗚呼——

麗雲：什麼？劉昌伊……已亡？

△麗雲聞訊，昏倒在地——

邱松：喂……麗雲……妳緊醒來——

△麗雲幽醒來

麗雲：（唱）聽聞惡耗失了魂

回祿之災將命來損
上蒼待人無公允
爲何喪命的是我君？
原本恩望比翼飛雁
無疑單飛入廣寒
是我渡船來得慢
你獨走黃泉心怎能安？

△劉實上前安慰

劉實：（唱）生死有命是無奈何
攏是海賊弄劍又舞刀
妳算好運有我通倨靠
以後我會照顧妳免操勞

邱松：（唱）晴天霹靂起風波
看來有地有厝嘛不是眞好
送伊返來只是要討一點功勞
伊哭得這麼可憐怎好勢加伊討？

劉實：麗雲？代誌演變到按呢，妳就不要再悲傷。妳放心，妳是劉昌未過門的「家後」（妻子），算來嘛是劉家的人。只要妳暫時住在這兒，我會幫助妳擱起一間新厝。

麗雲：這嘛……

△邱松覺得不妥，將麗雲拉至一旁

邱松：我還是感覺無妥當……

麗雲：無妥當？你的意思是……？

邱松：橫直我現在講不出來……總講一句，這個劉實的人我感覺伊無「老實」。

劉實：麗雲……這位是……？

麗雲：伊叫邱松，在半路承蒙伊的援助，今日才能平安找到這個所在。

劉實：哦，原來是按呢，既然有恩情咱就要報答，免得乎人講咱不識人情義理，我看你面色「黃匹匹」，好像有一頓沒一頓的，按呢啦，我請你到灶腳吃一頓「青抄」（佳餚），算講報答你的恩情。

邱松：啊！要請我去灶腳吃飯？不用了，我邱松雖然是羅漢腳仔，但是嘛明白施恩不望報的道理，這頓飯你就省起來，請。

△邱松欲往外，麗雲卻喚住他

麗雲：請慢——阿松……

邱松：麗雲姑娘，恭禧妳已經找到妳要找的人，我現在就要離開，只希望妳自己要卡「細字」（小心）咧——

麗雲：稍等一下，你的雨傘——

麗雲：（唱） 滬尾眞正你講的是雨尾

一路小雨亂紛飛
若不是你陪我來這找
可能我還在海邊憨憨旋

邱松：（唱）邱松雖是羅漢腳
講話也不是多文雅
但是人若講話「想牽托」（諷刺）
我才不要留下乎人割肉。

△邱松接過雨傘

邱松：妳要自己保重……

麗雲：我知影——

△劉實見邱松愈來愈礙眼，急急打斷二人

劉實：麗雲，既然邱松伊不願留下來吃飯，那咱以後再找機會報答伊。邱松，我就不留你了。

邱松：我也不想乎妳留，請！

麗雲：阿松——

△邱松氣憤離去，麗雲欲追，卻被劉實攔阻。

劉實：麗雲……妳叫伊作啥？像這種羅漢腳妳千萬不要跟他們走太近。他們有路無厝，若乎黏到妳撥攏撥不離。

麗雲：可是你按呢對伊難道不會太苛薄？伊一路照顧我，才會找來這個所在。

劉實：唉，妳剛來台灣當然不知影，人講日頭赤炎炎，隨人顧生命。要在這個所在站起，若太替別人想，自己會不成樣。

麗雲：既然按呢，我嘛想要離開。

劉實：這怎麼行？妳不一樣，妳是阮劉家的人，我當然要照顧妳，我攏已經替妳安排好了——

麗雲：替我安排啥？

劉實：嘿……當然是安排妳的生活，妳放心，從今以後，我會好好照顧妳，乎妳吃好、穿好、絕對乎妳對我會「鵝樂」（誇獎）

麗雲：我不用你照顧，我要去住彼間乎火燒去的厝，我會靠自己的力量將厝擱「起」起來。

劉實：何必這麼麻煩。麗雲，妳甘無感覺這是天賜良緣？若無妳怎會千里迢迢來這兒跟我相會？坦白講我在滬尾還不曾看過像妳這麼「水」的姑娘。

麗雲：你……你想作什麼？

劉實：要作啥妳甘看無？妳想看邁，劉昌雖然留下彼間乎火燒去的厝和三分多的田，但是妳一個女流要按怎做？妳若嫁我，我絕對擱「起」一間大瓦厝乎妳住……

△劉實上前抓住麗雲，麗雲掙扎

麗雲：你放手——

△麗雲咬了劉實的手，劉實大怒，一腳將麗雲踢倒在地。

劉實：妳敢咬我……若無乎妳一點教訓妳不知我的厲害。

麗雲：你不要過來，你再過來我要喊救人了。

劉實：哈！喊救人？別說我這個所在妳喊破喉嚨也沒人聽到，就算有人聽到，憑我在縣老爺身邊作師爺，啥人敢對我按怎……

△麗雲見劉實步步進逼，不得已抽出頭上的銀釵刺在自己的脖子上。

麗雲：你不要過來，你再過來我就自殺死在這個所在——

劉實：啊？妳……妳……我不要過去，妳千萬不能死！

麗雲：我要即時離開！

劉實：唉！麗雲，我方才是跟妳「滾笑」，我答應絕對不會對妳有非份之想，只求妳千萬不要離開。妳若發生意外，我怎麼對得起死去的劉昌？

麗雲：這……

劉實：難道妳無想要知影劉昌死在何處？好啦，我先叫人帶妳去房間休息……另日再安排妳去祭拜，來人——

△丫環急急上來

丫環：老爺，有啥吩咐？

劉實：帶麗雲姑娘去客房休息。

丫環：是……小姐請跟我來……

△麗雲雖懷疑，但不得已還是跟丫環入內

劉實：哼！麗雲呀麗雲，既然妳自投羅網，妳就怨不得別人。先將妳軟禁，早晚妳攏是我的人啦。哈……

△燈暗

第三場　海賊

場景：溪邊平原

時間：上一場的第二天

人物：邱松、鄉勇若干、海賊若干、老者（施夢麟）、阿吉

佈景：一望無際的溪洲，遠方是青翠連綿的山巒。強風吹拂著芒草，呼嘯而過的勁寒使人慄然而驚。

△邱松沮喪地走來……

邱松：（唱）人講救蟲不通救人
無閒一場最後一場空
明明一塊肥肉雙手捧
自己無膽還擱想要作伊的尪？

（唱）只怨出世落土時
父母無乎我一個好八字
啥代誌無法度加人比
只能聞伊留在雨傘的香味

△邱松忘情地聞著雨傘

△突然隱傳來驚呼吆喝聲，一名鄉勇打鑼高喊而過。

鄉勇：不好了，海賊來了，海賊上岸了……

△邱松尚來不及反應，果然一群海盜衝上來，另一邊則奔來一群手持棍棒鋤頭的鄉勇，雙方展開一場激烈的爭戰。

邱松：唉喲喂呀……天公地公三界公，這種場面若無「藏龍」，十身嘛死九身。

△邱松機靈地在雙方人馬中來回走避，最後跳入草欉中躲避。

△一場激烈的戰鬥終於結束了，海賊扛著戰利品，呼嘯而逃，留下屍野遍地及鬼哭神嚎般的風聲。

△從草欉中躡手躡腳地走出，乍見屍首盈野，邱松不禁驚愣當場。

邱松：（唱）目睭捌金（睜開）看詳細
屍體疊到淹過溪
相殺實在眞作罪
我不走甘講要等著流血？

△邱松欲跑，忽然又想到什麼……

邱松：（唱）媽祖的籤詩寫得眞分明

若要好額儘在眼前

死人的錢永遠不用還

我若放棄豈不是對神不敬？

△邱松開始搜索屍體的口袋，但只撿到些銅錢。

邱松：看來這些人比我還窮，但是要這樣放棄機會我也實在不甘心。啊，對！金嘴齒！

△邱松開始扳開死人的嘴，敲下死者的金牙齒。

△邱松得意之際，一名老者（施夢麟）與隨從（阿吉）緩緩走來，邱松嚇得立即住手。

阿吉：老爺……看來海賊已經走了，咱慢來一步了。

老者：可惡的海賊竟然如此凶殘，害死漳泉鄉親不計其數，咦？這位壯士，你在此作啥？

邱松：啊？我……看這些人很可憐，我想要替伊收屍，可是我一人無能爲力。

老者：難得你有這份善心，那咱三人就逗陣來替伊收屍。

邱松：這……當然好呀！

△老者與阿吉一起抬屍體，邱松在旁幫忙，卻趁機扒了老者的錢袋。

△老者與阿吉抬屍體下……

△邱松掂著錢袋，發現裡面有些銀票及一顆玉石章。

邱松：哇……裡面有銀票，我這下卯死了，年頭吃到年尾了。咦？這粒是啥印仔？看來像玉仔刻的，一定很值錢，這下不走要待何時？

△邱松朝另一方向逃逸。臨走又撿起一把劍

邱松：這支劍嘛眞值錢——

△老者與阿吉又上來，發現邱松已經不在。

阿吉：咦？老爺，方才彼個人不知跑到哪兒去了？

老者：唉！可能宵小之徒。我方才看伊在此鬼鬼祟祟，就知影伊可能想要發戰爭財。

阿吉：現在時機愈來愈歹，愈來愈難討吃，這種「想孔想縫」的羅漢腳仔愈來愈多……

老者：是呀！人死已經眞可憐，還強……要扒伊的物件……咦？我的錢袋呢？

△老者發現自己的錢袋丟了。

老者：唉呀！不妙！一定是乎彼個羅漢腳仔「賺吃」去了——

△阿吉驚訝的表情。

△燈暗

第四場　玉印

場景：縣衙大廳

時間：上一場的第二天

人物：邱松、阿坤、縣官、劉實、麗雲、差役若干

佈景：縣衛大廳內雖不甚富麗堂皇，但也具威嚴之姿。上方「明鏡高懸」的扁額更是震人心弦。

△燈亮時，捕快差役分站兩邊。「威武」聲中，縣官鄭火炳與師爺劉實上了公堂。

△此時賭場老闆阿坤抓著邱松上公堂……

邱松：喂，阿坤仔，有話慢慢講——

阿坤：你敢到我的賭場賭「霸王徼」，絕對叫縣老爺打到你七筒蹺蹺……

△縣官拍了驚堂木，阿坤和邱松嚇得跪在地上，差役「威武」聲起……

縣官：大膽刁民！竟敢在公堂喧嘩吵鬧，你們眼中還有王法嗎？

阿坤：縣老爺恕罪！草民阿坤請縣老爺為草民伸冤！

縣官：哦？你有啥冤曲？

阿坤：這個邱松眞可惡，去我的客棧白吃白住，還叫查某來住暝……

邱松：大人冤枉，我無白吃白住，我有用金子抵債！

縣官：啊？金子？

阿坤：大人，邱松確實有用這些金嘴齒來「納帳」！但是伊跟「菜店查某」（酒女）金桃「博徼」，攏總輸了了，還倒欠人家二十兩銀！

劉實：原來是你！這個邱松前日還想誘拐良家婦女，才乎我將伊趕出，我一眼就知影伊

不是好貨！

縣官：大膽邱松，你該當何罪？來人，先將伊拖出去打四十大板！

邱松：耶！慢且！大人！我知影博徼欠錢嘛是愛還，但是我現在手頭較緊，另工一定加倍奉還。

縣官：講那麼多作啥？來人——拖出去——

邱松：耶？稍等一下，這粒玉印價值連城，要不就用這粒抵債！

△師爺劉實詫異，走下台階接過玉印，仔細端詳，不禁嚇了一跳，急急上階向縣官耳語。縣官亦吃驚，接過玉印端詳。

縣官：稍等一下！（喃喃）淡水同知施夢麟——

（唱）這粒印仔有玄機

本官著驚擱懷疑

施夢麟是淡水同知

莫非密使欽差就是伊？

邱松：（唱）一聲慢且乎我有生機

縣老爺的表情眞怪奇

媽祖妳愛加我逗保庇

我作賊不知要按怎加我治？

△縣官求助的眼神望向劉實。

劉實：（小聲）大人，我很早就聽說淡水同知大人很關心滬尾海賊爲害的代誌，這個邱松很有可能是同知大人！

縣官：你是講施夢麟白衣打扮來這兒暗訪？

劉實：若無爲何伊身上有施夢麟的玉印？

縣官：那……這要如何？

劉實：大人放心！如果是伊，那正是大人昇官發財的大好時機……

△劉實向縣官耳語……縣官緩緩點頭會意。

縣官：邱松！這粒印仔確實是你的？

邱松：當然是我的！大人，你一定也看出這粒印仔的價値，坦白講是因爲大人你有夠身份，若無我是無隨便乎人看！

縣官：這……

阿坤：大人！一粒印仔値多少錢？伊欠我二十兩銀呢！

縣官：住口！大膽阿坤，竟敢勾結菜店查某設局騙財，陷害忠厚老實的老百姓！

阿坤：大人，伊去我那兒白吃白喝——

縣官：你還敢強辯？代念你是初犯，本縣乎你一個改過自新的機會，還不快給我死出去！

△差役的水火棍將阿坤硬生生趕出公堂。縣官與劉實急急走下……

縣官：施大人……

邱松：什麼「死」大人？你自己講的，我無講！

△邱松沒頭沒腦的話令縣官丈二金剛摸不著頭，劉實向縣官耳語獻計。縣官恍然。

縣官：我知道……大人既是白衣出巡，當然是要掩護身份，對！我還是稱呼你邱兄！

邱松：叫我啥攏無要緊，我煩惱的是……你眞正不要治我的罪？

劉實：邱兄一切攏是爲了公務，啥人敢講你有罪？

邱松：啊？現在是啥情形？「風颱轉回南」？我一切攏是爲了公務？

縣令：是啦！既然邱兄來到本縣，這是我的榮幸，以後你在這住的、吃的、穿的攏看我！

劉實：邱兄若對粉味有興趣，在下一定安排到乎你眞滿意。

邱松：這個嘛……

（唱）我甘會是來聽錯？
若無伊怎會對我這麼好？
吃穿以後攏有倶靠
這甘會是跟我在滾笑？

△邱松見二人一付奉承樣，這才漸漸放下心來。

邱松：（唱）人講是福不是禍
橫直現在也是無處逃
就算脖子套上一條繩
最後要死嘛是割一刀

邱松：大人，你剛才說的是眞的？不後悔？

縣令：邱兄肯乎我招待，我歡喜都來不及了，哪會後悔？來人呀！

△差役上前，邱松嚇了一跳——

邱松：你……你要作啥？

縣令：邱兄請放心，我是叫人要帶你去客棧住，今晚下官再去向邱兄請安。

差役：請隨我來——

邱松：眞正要招待我？好！橫直我一人溜溜，看你要「變啥蚊」，帶路！

△差役領邱松離去。縣官與師爺注視著他的背影。

劉實：大人——

縣官：雖然伊身軀有印仔，可是我感覺怪怪的……。

劉實：大人有所不知，俗語講：鱉殼糊土不成龜。伊若是假的一定騙不了咱。我認爲施大人是故意扮成這種模樣，以免乎人識破。

縣官：既然按呢，擱來你有啥妙計？

劉實：我已經替大人安排好勢了。前日我一位叔伯小弟的未婚妻麗雲從唐山來，我想將伊送乎施大人，伊一定會眞歡喜。

縣官：嗯，此計甚好，只是……彼個麗雲若不答應呢？

劉實：伊是偷渡來台灣，伊若不答應　大人即時將伊治罪，我就不相信伊敢不答應。

縣官：好！趕快將人帶來！

劉實：來人，將林麗雲帶進來——

差役：是——

△差役下，立即帶麗雲上公堂。

麗雲：劉實，你將我軟禁在厝內，如今又帶我上公堂，難道你不驚我向大人申冤？

劉實：哈……妳這是惡人先告狀。不要忘了，妳偷渡來台灣，妳想縣老爺甘會放妳煞？

麗雲：你……

劉實：妳放心，再怎麼說咱攏是自己的人，無論按怎手骨是向內無向外。

麗雲：你不要說得那麼好聽，你放我走，我即時要離開——

△麗雲欲出，但被差役的水火棒攔住。

劉實：麗雲，妳聽我講——
（唱）前日與妳來這的邱松
可能妳不知伊的眞相
以後我才慢慢加妳講
只要妳答應加伊洞房

麗雲：（唱）奸賊不知又擱想啥計？
天花亂墜講到這麼多
麗雲貞節可比明月
我只求一死保清白

縣官：哼，妳既然不答應，那本官即時將妳押入大牢！

劉實：耶……大人息怒，請讓麗雲姑娘再重新考慮……麗雲，妳目睭放亮點，若可以嫁朝廷命官，算來嘛是妳前世燒好香……

麗雲：這……

（唱）邱松一身軀穿得那麼破
伊怎會是朝廷的命官
也許這是天要助我
找機會才逃出魔掌外

劉實：按怎？想通了沒？

麗雲：好！我答應你？

劉實：啊？妳答應了！大人，麗雲伊答應了。

縣官：嗯，按呢才是識時務。麗雲姑娘，妳聽淸楚，只要妳好好招待彼位朝廷密使，本官以後會好好重賞妳！

劉實：是呀！說不定朝廷密使若甲意，將妳娶返去作某，以後妳就榮華富貴一世人，到時可不能忘了，是我加妳牽成——哈……

△麗雲忍著氣、恨恨地轉身不理。

△燈暗

第五場　重逢

場景：客棧房間內外

時間：上一場之後的夜晚

人物：小二、邱松、老者、阿吉、劉實、麗雲、鳳仙

佈景：是佈置豪華的房間，一看就知道是富貴人家居住之所。

△老者與阿吉走上，小二迎上

小二：兩位要住店還是喝酒？

老者：店小二，可有上房？

小二：這……上房已經住一位貴賓。

老者：貴賓？

小二：聽講是朝廷密使——

阿吉：朝廷密使？

小二：噓……小聲一點，千萬不要走漏風聲，還有，縣老爺交待，伊要吃啥、穿啥、攏總愛應付伊，唉，作官實在眞好！

阿吉：有這種代誌……？老爺——

老者：（制止阿吉）店小二，既然上房已經有人住，那就乎阮二間普通房。

小二：好，馬上去準備——

△小二先行離去

阿吉：大人——

老人：噓——小心隔牆有耳。

阿吉：現在要如何？

老人：不如咱就將計就計——

△老人阿吉耳語，阿吉會意，兩人從左舞台下

△此時燈光轉換，時空變成在客房內，換穿著華麗的絲綢馬掛的邱松，掩不住內心的喜悅，興奮地東摸摸，西瞧瞧。

邱松：（唱）前日我有作一個夢
夢見和「水」姑娘仔去遊江
煞落去招我海邊吃海產
又擱「按捺」（招待）我要去同房
（唱）我眞正不知發生啥代誌
嘛不知要由叨位講起
縣老爺到底是在下啥棋？
害我想到頭斜斜。

△邱松像個小孩般躺在舒服的床上翻滾。

邱松：我邱松今仔日算出運了。這世人不曾睡過這麼舒適的紅眠床。不但這樣，每日三

頓攏是山珍海味，穿的是綾羅紡絲。而且美姑娘每晚攏來加我洗「改邊」……哈……

我就算是作皇帝嘛是按呢生。

△邱松狂笑不已，忽然想到什麼，掏出玉石章端詳。

邱松：是講這個縣老爺是看到這粒印仔才對我改變態度，難道這粒印仔有啥神奇？算了，別想那麼多、橫直今朝有酒今朝醉，時到時擔當，無米才煮蕃薯圈湯。

△話未完，劉實帶麗雲來到房門外，劉實以眼神向麗雲警告後才換付笑臉。

劉實：邱兄在嗎？

△邱松聞聲嚇了一跳，急急端坐椅子。

邱松：啥人？

△劉實拉麗雲入內

劉實：邱兄……劉實專程來向你請安。

邱松：請安？

劉實：是啦，相信邱兄大人不計小人過，前日對你失禮之處，你一定不會放在心上。

邱松：（唱）前日親像凶神和惡煞

今日看到我像狗仔流涎

甘講又擱想計要陷害我

乎我想到一直流冷汗

劉實：（唱）眼中無珠不識泰山

才會對大人來待慢

麗雲要來乎你作間（婢女）

後面還有查某「歸落班」（好幾攤）

邱松：你講啥？要將麗雲姑娘留下來「按耐」（招待）我？

劉實：是，如果邱兄若歡喜，嘛可以將伊留下來作某作妾！總講一句，麗雲姑娘以後就是你的人了。

邱松：我的人？喂！劉實，你凶凶對我這麼好，我會驚！你坦白講，你到底在變啥蚊？

劉實：既然按呢我就明說，其實這是縣老爺的意思，希望邱兄以後多多牽成。

邱松：那要看我的心情了！

劉實：邱兄請放心！除了麗雲姑娘，我還爲你準備很多你歡喜的物件。等一下物件送來，我保證你一定眞滿意。

邱松：好啦，物件送來才講！

劉實：那……小的告辭！

△劉實向麗雲暗示要她識時務後離去。麗雲要跟出，發覺門已上鎖。

邱松：麗雲姑娘——

麗雲：你不要過來！

邱松：妳……耶，我是阿松呢。

麗雲：（唱）幾日不見你果然無同款

以爲你眞心渡我來過關
你卻與劉實作惡爲患
是何居心騙我團團轉

邱松：（唱）妳講啥我是聽攏無
甘知影我爲你眞煩惱
見面講話像在放飛刀
甘講我是叨位有作錯？

麗雲：（唱）你還強詞奪正理
莫非看我查某眞好欺
你若敢對我有啥不義
我一定是打得乎你不吃米

邱松：（唱）甘講妳不識我邱松
若無一定是神經無正常
還是八字去犯著沖
若無那會歹面來相向

麗雲：你七講八漏氣，根本與劉實他們是一黨！你最好放我出去……

邱松：妳眞正起瘋，好！門在那兒，要走你快走！

△麗雲欲開門，正好劉實叫人帶許多人參補品及另一名酒女入內。麗雲嚇得又躲回

房內

劉實：妳想要去叨位？

△麗雲不答，恨恨地望著邱松。

邱松：你擱來作啥？

劉實：邱兄，縣老爺叫我送來人參燕窩的補品請你笑納，而且我驚麗雲較不懂事，所以專程將本縣最紅的酒女「鳳仙」叫來陪你！

邱松：嘿……劉實，按呢講起來，你眞知影我的輕重，可是……

劉實：我知……這有五十兩的銀票，邱兄千萬不通棄嫌，過兩日縣老爺會擱當面向你致意！

邱松：哇，我卯死了……

△邱松見到鳳仙不禁上前毛手毛腳……但忽然發現劉實還站在旁邊

邱松：喂，你這個人實在青仔欉呢，還站在這作啥？

劉實：啊，是……小的即時離開，那……麗雲……

邱松：她也留下來，人愈多愈趣味！

劉實：是……（喃喃自語）想不到伊竟然眞歹嘴斗，吃這麼重鹹。

△劉實不情願，但也無可奈何地離去。鳳仙立即撒嬌地上前。

鳳仙：邱大爺，你要奴家按怎奉待你，只要你吩咐一聲，奴家一定不會讓你失望。

邱松：眞的？我叫妳按怎做妳就按怎做？

鳳仙：當然是眞的，難道我像講白賊的人？

△麗雲見鳳仙媚態；又見邱松被美色所迷，憤怒欲走出。

麗雲：既然兩位有代誌要做，那我先失禮……

邱松：（上前攔她）耶……稍等一下——

（唱）麗雲凶凶來我的房

這回我千萬不通將伊放

我若作「水」姑娘仔的尪

才不枉這世甲人在作人。

麗雲：（唱）忽然喝住我心驚疑

莫非想要加我淩治

甘講上蒼無天理

害我步步是死棋

邱松：（唱）我尙愛「博吉」又擱愛「創治」（吹牛又作弄）

將伊留下大家搬一齣戲

不管伊是不是歡喜

鼎底的魚絕對不放妳去。

麗雲：（唱）看伊目睭一直加我看

一定又擱有啥牽拖

看來伊是不放我煞

我愛「細字」(小心)應付這個狗官。

邱松：不是我不讓妳走，是縣老爺和伊的師爺不讓妳走！

麗雲：這……可是……你二人……

邱松：不要緊，妳可以躲在眠床邊，就當作無看到嘛無聽到阮在作啥——

麗雲：你……

邱松：鳳仙姑娘，不要理她，咱趕緊來做咱愛做的代誌。

△邱松扶鳳仙躺在床上，麗雲羞澀地急急躲入床邊。

鳳仙：邱大爺，你是愛我按怎加你奉待？

邱松：來……妳先躺下——然後妳目睭閤起來就好——

△鳳仙照邱松的話躺下，邱松一付惡作劇的表情，扶起鳳仙的腳替她按摩腳底。鳳仙呻吟起來……

鳳仙：唉喲——

邱松：按呢有爽快無？

鳳仙：啊……眞爽快……卡出力一下……啊……眞好——

△床邊的麗雲聽不下去了，先是用手摀住耳朵，但鳳仙的呻吟聲愈來愈誇張，麗雲再也按捺不住，拿起五斗櫃上的銀鏡，衝到床邊，欲砸邱松，卻見情形並非她想像，一時愣在原地。

麗雲：啊？你……

邱松：按怎？妳甘有想要試看邁？

鳳仙：哇，眞爽快，邱大爺，擱來一擺啦——

邱松：好了！妳不要這麼「大吃神、歹嘴斗」，妳先出去，我叫妳進來，妳再進來。

鳳仙：啊！只有這樣？人講一樣米飼百樣人，有人愛吃菜花嘛有人愛吃苦瓜。但是像這種「性這味」的查埔人，我還是頭一擺遇的——

△鳳仙喃喃揶揄而出，邱松急急將銀鏡接過擺好。

邱松：這支銀鏡眞値錢呢，妳按呢要加損乎破？

麗雲：你若要按呢糟蹋我，歸氣乎我死死咧好了——

△麗雲作勢要撞牆，邱松急急攔阻，拉扯中邱松發現似乎侵犯到麗雲身體，又急急放手，麗雲跌倒傷心地哭了起來，邱松這才又上前安慰。

麗雲：（唱）過海路途千萬里
本望牛郎會織女
無疑走入落難池
人間本苦也是悲

邱松：（唱）我是「滾笑」並無惡意
心肝想卻不敢將妳欺
羅漢腳仔嘛是有志氣

看妳落難我心肝像刀鋸
麗雲：（唱）你是假意安慰我
甘講上蒼無法度將你感化
可知人在做天在看
你若擱向前我就死乎你看
邱松：（唱）妳邁生氣聽我講
咱二人有緣才會相逢
我眞正不是甲伊同黨
是伊強要認我作祖公
△麗雲大吃一驚，訝異地望著邱松
麗雲：你講啥？你是冒牌的朝廷密使？
邱松：從頭至尾我都沒說我是朝廷密使，那是他們半路認老爸！
麗雲：可是我看你還當得蠻威風的嘛！
邱松：妳不要這樣「正拷倒削」，坦白講，妳還未入來之前，我就想要「落跑」！
麗雲：你……你要逃去叨位？
邱松：我嘛不知，反正男子漢四海爲家——
△邱松拿著一面銀鏡玩弄
邱松：要走也要拿這面銀鏡做「單路」。

△邱松將銀鏡藏在懷中

麗雲：你……你帶我走好嗎？

邱松：啊？妳講啥？帶妳走？

麗雲：（唱）劉昌的死因乎人真懷疑

一團迷霧要按叨位講起

現在我的恩望只有你

求你帶我遠走天邊

邱松：（唱）我的耳孔甘有聽不對？

叫我帶伊作伙逃

可是若乎人來抓到

我這條命穩當無

△麗雲突然跪下。

麗雲：你若無帶我走，我也只有死路一條。

邱松：啊？我苦——

△燈暗

第六場　陰謀

場景：媽祖廟內
時間：上一場的夜晚
人物：麗雲、邱松
佈景：同第一場

△邱松與麗雲匆匆趕到廟內。麗雲累得兩腿發軟。

麗雲：阿松……你不要跑那麼快啦——

邱松：（唱）是妳自己要隊我走
　　走不動就坐在那邊哭
　　人講查某實在眞無效
　　我若多講乎妳罵到臭頭

麗雲：（唱）你攏無同情我是小姐身
　　從來不曾走那麼緊
　　我的雙腳腫到像牽藤
　　狼狽二字寫在我的面

邱松：好啦，既然已經跑到媽祖廟，再過去就出滬尾了，妳這麼累，那咱就先在這兒休息一下。

△麗雲欲坐在角落休息，發現媽祖神像露著慈祥的法相。不禁上前合什默禱。

麗雲：（唱）二度來到媽祖廟
聖母慈顏還是對阮笑
我的心事一串若竹竿
放在心房掛金鎖
（唱）無意中甲伊來相逢
莫非上蒼有意來作弄
笑阮是多情的女紅妝
陣陣漣漪溢心房

邱松：（唱）伊不知擱想起啥代誌
一路不是笑就是啼
我是煩惱人若知阮來逃離
絕對流血擱流滴

麗雲：（唱）看伊雖然粗魯卻是明禮義
富貴人家顛倒無法加伊比
懇求媽祖來指示
麗雲的未來甘是註定交乎伊？

△麗雲輕輕拭去淚水。邱松有點手足無措，但還是趨前安慰。

邱松：人講「一好配一歹；無兩好通相排。」啥代誌攏愛看卡開咧。像我「勇勇馬縛在將軍杜」。但是我嘛是看真開呀！對啦，妳方才拜媽祖，加媽祖「許」啥願？

麗雲：我求媽祖助我早日抓著害死阿昌的凶手……

邱松：不要傻了，我看妳還是緊返去泉州，若無妳十身都死無夠！

麗雲：我不怕！就算會死在這個所在，我還是要替阿昌申冤。

邱松：講到彼個縣老爺，有錢判生、無錢判死。妳現在無半項，要用啥去申冤？

△麗雲突然看著邱松，邱松手足無措起來。

邱松：耶……妳看我要作啥？對啦，我這幾日是有賺到一些錢，可是這是「刑事伯仔寄要買雞」，萬一縣老爺和劉實若知影我冒充密使，妳講錢不還他，他們會饒了我嗎？

△邱松話未完，突然傳來腳步聲，邱松警覺。

邱松：啊，有人來了，說不定是縣老爺知影我「落跑」，派人追來了。

麗雲：那……那怎麼辦？

邱松：咱先避在桌下……

△邱松拉著麗雲躲入神桌下。剛躲好，賭場的阿坤就鬼鬼祟祟入內。

△阿坤似乎在等什麼人。先看看四周環境確定沒有問題後，阿坤才學著狗叫。

△果然在不遠處也有狗叫的聲音回應著。

△阿坤急急趕向廟口，劉實匆匆趕來。

阿坤：劉實，你怎麼現在才來？

劉實：到底是啥代誌？這麼緊急叫我來？你要知道朝廷派一位密使……

阿坤：我正是爲這件代誌來……

△劉實要阿坤不可聲張

劉實：（唱）你的頭殼無清楚
　　這種代誌甘想要去打鑼？
　　密使在我掌中無處逃
　　劉實辦事絕對無差錯

阿坤：（唱）我有消息要報你知
　　密使明明是一個阻礙
　　漳泉冤家伊要作主裁
　　所以叫你找機會將伊害！

劉實：什麼？要我殺死密使？

阿坤：這是布袋蔡騫的交待，你嘛知影伊是一名海賊，本來早就要來搶滬尾，現在忽然來一個密使，所以只有將伊解決。

劉實：這……

阿坤：話我已經帶到，你若無進行，到時候海賊的船若攻入滬尾，你自己向伊解釋！

劉實：好啦，麻煩你替我轉話，行刺密使不是一件簡單的代誌，希望乎我一點時間。

阿坤：蔡騫交待，利用明日縣老爺請密使飲酒作樂之時，伊會帶海賊攻入滬尾，到時內外呼應將伊解決。對了，劉實兄，小弟最近手頭眞緊，能不能向你借點錢？

劉實：我無錢啦！

阿坤：前一陣劉昌的財產攏乎你佔去，你講要分一點給我，到現在都無消息。不要忘了，只要我若加彼個麗雲姑娘講，講劉昌是乎你害死的……

劉實：（怒）好了啦，拿去！拿去！你眞是吃銅吃鐵！

△劉實丟了一袋碎銀給阿坤

阿坤：歹勢，貪財！

劉實：阿坤，咱是坐同一條船的！你記住，我若無命，你也免想要留在世間！

△劉實憤怒離去

阿坤：哈……劉實，既然你的把柄在我的手中，這世人我要靠你吃穿了。

△阿坤欲走，突然傳來麗雲的喝止聲

麗雲：稍等一下——

△阿坤訝異回頭，見麗雲從神桌下爬出，邱松欲阻止她已來不及。邱松見阿坤，想再躲回桌下，見阿坤驚訝地望著他，尷尬地朝他笑笑。

阿坤：原來是你……？

邱松：是啦，是我啦，很久沒去徼場加你交關——

麗雲：我問你，你方才講劉昌是乎劉實害死？

阿坤：這……這麼說……我方才與劉實所講的話，妳攏有聽到？

邱松：無啦，聽到一點點而已……

阿坤：那這樣……欽犯大海賊蔡騫要愛密使的人頭，你也聽到了？

邱松：這……有聽到一點啦……

阿坤：那這樣你還敢出來見我？

邱松：有什麼不敢？要殺密使就去殺呀！反正跟我沒關係……。

阿坤：無關係？難道你……不是密使？

邱松：啊？我……

麗雲：你還未回答我，到底劉昌是不是劉實害死的？

阿坤：既然你們聽到了，那我就講卡清楚咧。不錯！劉實確實害死劉昌霸佔伊的家產。
但是被劉昌發現，兩人發生爭鬥，煞來引起火災……

麗雲：（唱）聞言才知劉昌死得冤枉
爲佔財產劉實喪心病狂
心中陣陣復仇的激動
將仇人碎屍萬段才應當

邱松：（唱）你講的是有影還是無影
殺人擱講甲眞旺聲
我若報乎官府聽

阿坤：沒錯，我敢講乎你聽就不驚恁漏洩秘密，今夜遇到我算恁歹運，我就送恁同赴黃泉——
　恁這些歹人全攏無命

△阿坤抽刀……邱松與麗雲嚇得躲至牆角

邱松：喂……阿坤，我不是密使，你殺我作啥？

阿坤：邁囉嗦，看刀——

阿吉：且慢——

△危急急際，阿吉縱身入內，將阿坤的刀架開，兩人一陣廝殺，阿坤不是對手，終於就擒。

邱松：抓到了……抓到了，阿坤，擱「暢鬚」乎我看呀——

△邱松一臉得意，但當他發現是阿吉時，嚇得欲往外溜，但卻被老者攔住。

老者：邱大爺，別來無恙否？

邱松：啊？是你？

麗雲：咦？你們……以前有熟識？

邱松：這……是啦……一點點認識——

老者：哈……能夠熟識「密使」大人，這是老夫的榮幸——

邱松：（唱）人講種葫仔生菜瓜
　我是放屁彈破被

　　　註該賊星墜落地
　　　若無怎會在這遇冤家
老者：（唱）再遇壯士眞是榮幸
　　　你四處助人好心胸
　　　有爲青年使人欽敬
　　　有你世間才會條理分明
麗雲：（唱）看伊二人講話「無對銅」
　　　到底伊是啥款的人
　　　好像對邱松眞器重
　　　可是話中又似在講另一項

△邱松突然將身上的印章拿出

邱松：歹勢啦，上次向你「借」的錢攏還你啦，還有……這粒印仔。
麗雲：啥？這粒印仔是你的，那你是……
阿吉：不錯，阮老爺是正是密使淡水同知施夢麟。
邱松：啊？大人饒命……大人饒命，小的有眼不識泰山……
老者：你可知道假冒朝廷密使，又擱作賊作扒手該判何罪？若不是斬首，最起碼斷其四肢——
邱松：啊？若是按呢，無腳手我是要怎麼吃飯？

阿吉：已經無頭了，還煩惱按怎吃飯？

麗雲：你……你眞正是作賊加人偷拿物件？

邱松：（唱）順手牽羊不是故意
只是對伊的錢袋眞好奇
算是我先加伊借來買米
現在雙倍送還伊

麗雲：（唱）作賊還有這麼多的理由
應當乎大人加你斬雙手
作人要像廟外的大樹
卡大的風雨嘛愛自己受

邱松：（唱）我知影自己的不對
無面站在這間媽祖廟
希望妳邁擱加我笑
我詛咒以後絕對不再犯錯

麗雲：（唱）知過能改大丈夫
心存善念才會久
一時失意不是輸
只要認錯大人伊會作主

老者：世間上不外「國法、天理、人情」，如果你能夠助老夫抓到欽犯蔡騫，不但可將功補罪，說不定還能記你一功。

邱松：好，要我上刀山落火鼎，只要你吩咐，我絕不推辭！

老者：嗯，老夫要你回滬尾繼續扮演密使的腳色！

△邱松訝異的神情

△燈暗

第七場　擒凶

場景：縣衙公堂

時間：上一場第二天

人物：縣令、邱松、麗雲、劉實、簡添、劉川、阿吉、阿坤、老者

佈景：縣衙大廳內握了一桌豐盛的佳餚。在優雅的弦歌聲中，縣令奉承地迎接邱松和麗雲入座，漳州頭人簡添與泉州頭人劉川雖彼此仇視，但亦堆著笑臉迎上。

△邱松與劉實對看，兩人各自心思。劉實不時探頭往外看，神色緊張，邱松知道劉實要暗殺他這個密使，雖故作輕鬆，但卻嚇得發抖。

縣令：大人請上座——

邱松：啊！不用啦，我站著吃習慣了，蹲著也可以——

△麗雲見邱松快出洋相，急急拉他坐下，邱松差點跌倒。

麗雲：密使大人眞愛講笑——

縣令：對……愛講笑場面才會輕鬆。

△麗雲見衆人不敢坐，向邱松耳語，邱松才醒悟。

邱松：對……大家坐啦——

△縣令向劉實示意，劉實拍拍手，一群酒女上來爲衆人倒酒。

衆人：謝大人——

劉實：密使大人，這回是縣老爺特別盛宴爲大人接風，而且叫漳州的頭人簡添以及泉州的頭人劉川作陪，希望大人能夠盡興。

△邱松小聲對麗雲耳語

邱松：奇怪？伊不是要殺我？怎麼還對我這麼好？難道是要讓我作飽鬼？

△麗雲示意邱松鎭靜，然後目光像利刃般望向劉實。

麗雲：師爺乎你眞費心了，我今日能夠坐在這個所在與縣老爺平起平坐，算來嘛攏是你的安排和功勞。

劉實：這嘛——

麗雲：（唱）劉昌與你是親嘛是友
我是伊未過門的牽手

來滬尾蒙你收留
若無我還在外口「漢漢泅」。

劉實：（唱）麗雲姑娘不必言謝
一人有一人自己的命
算來我是劉昌叔伯大兄
有困難儘管講乎我聽

邱松：（唱）這個人講話眞凸風
會哭會笑擱會裝空裝憨
明明想要害我命來亡
還會笑笑講加叮叮噹噹

麗雲：（唱）雖然你是劉昌叔伯大兄
爲何將我送乎密使作某子
這是傷天害理頭一件
半暝醒來你甘良心不驚

△縣太爺見氣氛不對，急急打圓場。

縣令：麗雲姑娘，算來劉實也是爲妳好啦，將妳紹介乎密使大人熟識，以後妳榮華富貴
一世人吃穿免煩惱。

麗雲：你講按呢也是沒錯！密使大人你來滬尾，主要的目的是啥？

邱松：這嘛……當然是暗訪民情，爲百姓申冤。麗雲——我講按呢沒錯吧？！

麗雲：沒錯！你要好好調查是按怎漳州和泉州的人爲了一點小事會來拼生死——

△漳州簡添搶先站起

簡添：啓稟大人，講起來這攏是泉州劉川的不是，水源是大家的，伊泉州人霸守不放，阮漳州人要如何種植？

劉川：簡添，你實在橫柴扛入灶。水源是阮泉州人先發現，恁漳州人慢來無份，竟然強佔水源！你講漳泉械鬥是不是恁的責任。

簡添：你講什麼？你是惡人先告狀！

劉川：你講什麼？你是作賊心虛——

縣令：好了，你二人目中甘有我這個縣老爺？再說密使大人也在場，你們這成啥體統？

簡添：請大人作主——

劉川：請大人明鑒——

邱松：（唱）兩方叫我要作主
作官不是在切豆腐
兩邊相爭攏不認輸
莫怪不時見面就起腳動武

劉實：（唱）今日要請大人飲酒取樂
漳泉雙方自己愛約束

縣令：（唱）滬尾人人無作惡
會吃會飲才是福
麗雲：（唱）醉生夢死不應該
弄狗相咬作官才會發財
這到底是啥密世界
可憐攏是百姓受殃災
邱松：（唱）我嘛看得強強要抓狂
可是辦案我心就慌
再假落去我已經無話通講
龜腳「索」出來人就知影我凸風。

縣令：來……今日咱是要請密使大人飲酒作樂，這種相告的代誌以後再說，來，大家敬密使大人！

△衆人舉杯敬邱松，邱松欲喝，卻被麗雲擱下。

麗雲：且慢！漳州泉州相告的代誌可以暫時放下，但是小女子卻有一件冤曲要請大人作主。

縣令：哦？既然是麗雲姑娘的代誌，當然例外，有啥冤曲妳講，免講密使大人，本縣就可以替妳申冤！

麗雲：好，大人你聽乎清楚，我要控告劉實！

縣令：啊！劉實？伊是我的師爺呢！

劉實：麗雲姑娘，我與妳以前無冤，近日無仇，爲何要控告我？妳一定是在滾笑？！

麗雲：我要控告你謀害劉昌，奪佔伊的財產！

劉實：麗雲姑娘，妳是「半暝吃西瓜——反症」，人講「天無照甲子，人嘛愛照天理」，無證無據妳黑白誣賴，這有道理嗎？

麗雲：要證據我是無，但是我卻有一個證人！

劉實：啊？證人？

邱松：對！來人，帶阿坤——

△老者押阿坤上……

劉實：阿坤……是證人？

邱松：沒錯！你二人是坐同艘船，穿同一件褲子的！

劉實：阿坤，你……

阿坤：我嘛無法度，昨暝咱在媽祖廟講的話攏乎伊聽到，劉實，我看你還是老老實實招認！

劉實：大人，這個人我跟伊毫無瓜葛，伊一定是受了他人的指使煽動，要來誣告我，大人，你要替我作主。

縣令：這個嘛……密使大人——

邱松：我……

△邱松不知如何是好，急急望向老者，老者上前向他耳語。邱松頓時又神氣起來。

邱松：哼……鄭知縣，你可知罪？

縣令：啊？大人，連我也有代誌？

邱松：你身爲父母官，不知勤政愛民，放縱身邊的師爺謀財害命，難道你無責任？

縣令：啊？大人恕罪，劉實所作所爲攏是伊一人所爲，下官完全不知情。

邱松：哇？伊講伊不知，按呢要按怎？

△老者又向邱松耳語。邱松會意，轉身向縣令。

邱松：現在有人控告伊，你要按怎處理？

縣令：這……大人放心，下官即刻處理！

△縣令神氣站起，逼向劉實。

縣令：劉實，你眞好大膽，敢欺瞞本官，該當何罪？

劉實：大人，這是冤枉——

麗雲：劉實你還敢講冤枉？
（唱）霸佔財產又害伊入枉死城
大家平平來這要賺吃
你還有面子講是伊阿兄
天理昭昭要你償命

劉實：（唱）這個查某胡言擱亂語

大人你千萬不可相信伊

縣令：（唱）阿坤是按怎會指控你

這實在乎人眞懷疑

邱松：（唱）這下你的龜腳攏「索」出來

心肝眞狠眞是不應該

這種代誌你不知作歸擺（作幾次）

國法面前要加你制裁

麗雲：（唱）將我收留有另外的企圖

逼我親事乎伊作某

今日看你還有啥變步

無人心肝比你還卡黑

邱松：鄭知縣，在這兒講那麼多攏無效啦，現在人證阿坤在此，你還猶豫什麼？先將劉實抓起來再說——

縣令：阿坤，你講的是眞實的？

阿坤：小的句句屬實，絕無虛言——

縣令：來人呀，將劉實抓起來——

△此時外面傳來「海賊來了——」的驚惶聲——

劉實：且慢——

△劉實突然抽刀上前刺死阿坤，在衆人訝異之時，劉實又用刀架在縣令的脖子上。
縣令：啊……劉實……你按呢是在作啥？
劉實：阿坤這個小子吃碗內洗碗外，死有餘辜——
縣令：我是你的「頭家」呢，你連我也要殺？
邱松：（驚嚇）代誌怎麼變這樣？
老者：劉實，你不用再作困獸之鬥，放開鄭知縣，國法自然會給你一個公平的審判。
劉實：哈……公平的審判？你甘知在這個所在只要頭腦好，有武力作靠山，你就是國法。
你們方才有聽到無？海賊來了——
老者：那又擱如何？
劉實：你們眞是「七月半鴨仔不知死活」，布袋海賊王蔡騫與我內外呼應，今日要搶滬尾，你們的生命已經在我的掌握之中，漳泉二位頭人，最好不要輕舉妄動，否則……
△原本要見機行事的簡添和劉川，愣在原地不敢亂動。
縣令：啊？劉實，我對你不錯，你怎麼能這樣？
劉實：你這個無路用的東西，殺你也污穢我的刀——
△劉實一腳踢倒縣令，然後突然上前抓住麗雲。
麗雲：啊？你想要作啥？
劉實：哈……待會蔡騫大隊人馬攻入來，你們都死定了。但是像妳這麼「水」的查某，我怎麼捨得讓妳死——

麗雲：你這個奸賊，劉昌被害之冤未報，我恨不得吃你的肉啃你的骨，你還敢對我痴心忘想？

劉實：我也不怕妳不答應，不答應者只有一條路——死。

邱松：慢且——你快放開她！

△邱松突然挺身而出，衆人訝異地望著他。

劉實：哦？原來是密使大人？哈……你要知道蔡騫今日大隊人馬攻入滬尾，最大的原因就是你！

邱松：我？

劉實：不錯，你這個密使四處與他作對，平時暗中行事，蔡騫的兄弟死在你的手中不計其數，今日伊是專程來抓你報仇的！

△邱松一聽臉色大變

邱松：我哪有？唉呀！師爺……有話慢慢講啦……

（唱）方才所講的是滾笑

有話好講何必動刀

我不是密使不通來認錯

我還是先來放「一泡」尿

△邱松欲溜，劉實喝住他。

劉實：稍等一下！

（唱）現在否認已經太慢
想脫身比登天還難

縣令：邱松呀……
（唱）你算來是我的頂司
自己逃走甘有道義

邱松：（唱）你根本不知啥情形
我只是要出去討救兵
既然遇到算我的不幸
我就留下來跟你無閒

麗雲：（唱）奸賊果然眞梟雄
麗雲怎可對你來順從
怨嘆不能親手來擒凶
作鬼嘛要夜夜加你相向

△麗雲突然抓住劉實持刀的手欲往自己刺，劉實大駭，兩人來往拉扯，邱松見機不可失，拿起椅子欲砸劉實，劉實機靈將麗雲推倒，閃過邱松椅子的攻擊，正好一刀刺中邱松的肚子。

邱松：啊——我完了——

△邱松倒地，麗雲激動地奔來伏在邱松身上……。

麗雲：阿松——阿松——

劉實：啥人敢妄動，就會像伊死得很難看——

△此時四周人聲吵雜，突然擁入一隊人馬。爲首者是頭戴斗笠的阿吉。

劉實：啊？你們一定是大王的先鋒隊。小的劉實，已經殺死密使，爲蔡大王立了頭功。

阿吉：不錯，你立了頭功，卻是第一個要人頭落地！

劉實：你講啥？

阿吉：大膽叛賊，豈不識欽差大人駕前將軍柯銘吉。

劉實：你……

△劉實欺前攻擊，但立刻被阿吉制伏。

△阿吉上前參見老者。

阿吉：參見大人，大人無恙否？

老者：嗯！外面狀況如何？

阿吉：大人眞是神機妙算，在海岸設下伏兵，海賊的船一上岸紛紛受擒逃竄，蔡騫也身受重傷逃回布袋。

老者：嗯……相信這個惡賊受國法制裁的日子不遠了。

縣令：大人？你是講……？

老者：不錯，老夫正是朝廷密使施夢麟。此番來滬尾明查暗訪，果然查出漳泉械鬥其實是劉實勾結海盜，煽動兩派相爭，以坐收漁翁之利。

簡添：原來如此……好在大人明察，若無後果不堪設想。
劉川：是啦，原本就不是啥無法解決的代誌，我也不知爲何會演變成這樣。
老者：既然知影原因，你二個頭人就應該知影如何使漳泉二地的人能夠和睦相處。
簡添：我知影，這一切攏是受了奸人的挑撥——
劉川：我嘛了解，住這塊土地應當和睦相處……
老者：眞好，這回看到你們能了解眞相，化解冤仇，也不枉老夫的滬尾之行。只是……
△衆人望向傷心的麗雲。
麗雲：阿松……我知影你不是見風轉舵的小人，你按呢做只是要救我，可是卻無端來犧牲自己的生命。
縣令：大人，這個邱松假冒你的身份，就算伊無死，活罪也難逃！
老者：你講啥？邱松是受老夫之託才會假冒密使，老夫應當大大封賞，豈有判罪之理？只可惜，伊就是無這個福份——
△邱松突然翻身而起
邱松：大人！這是你自己說的哦——我若無死，你就要加我大大封賞？！
麗雲：你……你眞的無死？
邱松：我是「天公仔子」，哪有那麼簡單就死？
麗雲：可是劉實的刀明明插入你的肚子——
老者：哈……其實我早就知影，那一刀正好插在你懷中的銀鏡。

邱松：我看啥代誌攏瞞不過大人你！

△邱松從懷中取出銀鏡。

縣令：啊？你無代無誌怎麼放一面鏡在身軀？

邱松：這是保平安的！

縣令：保平安？

邱松：知道就好，不要告訴別人——麗雲姑娘——

△麗雲生氣地搶過銀鏡，重重地敲打在邱松的腦袋。

邱松：啊——這回……我眞正昏過去了——

△邱松倒地

△衆人驚駭，望著生氣的麗雲

△燈暗

第八場　雨尾

場景：溪邊平原

時間：上一場數天後

人物：麗雲、邱松、簡添、劉川

佈景：遠處山巒起伏，祥雲臥伏山腰，山腳下是片片田園。

合唱：幾樹青梅含宿雨

一株紅杏隨風舞

滬尾的雨已經落眞久

好似有話吐語珠

△麗雲手持鋤頭揮汗掘地。

麗雲：（唱） 劉昌留下三分地

人要有田方有底

鋤頭掘到雙手攏「流皮」（脫皮起泡）

落地生根恩望一個家

△遠處走來揹著包袱的邱松，還是拿著那把破雨傘，還有尾隨相送的簡添和劉川。

邱松：（唱） 乎伊二位來相送

我心情不知按怎眞沈重

甘講是滬尾的雨乎我心茫茫

還是心內還擱想別項？

簡添：（唱） 過去的誤會已經澄清

但願此去永遠是太平

劉川：（唱） 邱松的出現眞是萬幸

漳泉械鬥冤家才能停

簡添：阿松兄，你眞的要離開？

劉川：難道滬尾完全無乎你留戀的所在？

邱松：你知影啥？男兒志在四方，我若無四界流浪，怎能創造自己一片天地。

簡添：唉，阿松兄說得是，坦白講，我實在眞欣羨你！

邱松：啊？欣羨我？

劉川：不但阿添兄按呢想，我嘛是，若不是家眷拖累，能夠遨遊四海，何等威風。

邱松：嘿……威風？我要不「中風」就好！

簡添：啊？你講啥？

邱松：沒有啦，你二人送這麼遠了，也應該回去了。

簡添：既然如此，請阿松兄慢走！

劉川：是啦，阮不送了，以後若想要來滬尾，不要客氣，來找我，就當作是返來自己的厝，後會有期。

邱松：多謝——

△簡添與劉川二人離去。

△邱松欲往前走，發現麗雲在田內，一陣尷尬，逕自往前走，但麗雲卻喚住他。

麗雲：稍等一下，

邱松：啊？妳是叫我嗎？

麗雲：你……你眞正要離開？

邱松：是呀！滬尾這個所在是不錯啦，可是……不適合我住。妳看雨好像永遠落不停。

麗雲：那是你的藉口，你是一個羅漢腳仔，無意中在滬尾幫助密使趕走海賊，大人賜你很多銀兩，你現在是一個有錢人，滬尾乎你一夕致富，按怎講滬尾無適合你住？

邱松：嘿……對！我現在是「好額人」（有錢人）……

麗雲：只可惜……人講「牛牽去北京嘛是牛」！

邱松：啊？妳講按呢啥意思？

麗雲：（唱）你我本來就無牽礙
有代誌一定要講乎你知
不是我怨妒你發財
但是會賺會守才應該

邱松：（唱）我有賞錢妳嘛有得財產
我好額妳嘛是「不散」（不窮）
不通看我羅漢腳眞「閒慢」（沒能力）
四界討吃不是困難

麗雲：（唱）你擱去博傲的代誌通人知
賞金輸了險險去跳海
這種惡習按怎你不改

一世人流浪甘不是眞無奈

△邱松臉上掛不住……

邱松：（唱）輸徼是我自己的代誌

有贏有輸按呢卡趣味

攏是漚尾的雨一直滴

才會乎我輸到脫褲走不離。

麗雲：（唱）作人愛知自己的輕重

不會泅水強要泅過江

要靠博徼好額眞困難

脚踏實地靠雙手一雙

邱松：（唱）我是一時走衰運

五年兩閏好歹照輪

不要擱聽妳的教訓

不相信一世人攏不順

△邱松尷尬難過，轉身欲走。

麗雲：稍等一下——

（唱）麗雲只是一片的好意

只望你將來加人有得比

歹天落雨只是暫時

撥開雲霧就是晴空萬里

邱松：（唱）人講查某嚕囌佝愛啼

可是伊講的嘛是有理

咱人佝重要愛有志氣

若乎伊看破我就像豬

△邱松這回鐵了心，轉身就走——

麗雲：阿松……

（唱）一聲阿松喚不回

甘講你離開不後悔

眞是憨牛不會聽話尾

我心中還擱有其多話。

△麗雲傷心落淚了。此時邱松去而復返。麗雲發覺，急急拭去淚水。

麗雲：你……你不是離開了，擱返來作啥？

邱松：我想講滬尾的雨一直落不停，這支雨傘雖然眞舊，也許妳比較用得著，就送給妳好了——

△邱松將雨傘交給麗雲……

麗雲：可是你被雨淋濕了怎麼辦？

邱松：唉呀，只有漚尾才會落這種雨，別的地方絕對不會。雨傘我用不著……

麗雲：這……

邱松：沒事了，我要走了——

△邱松轉身離去，麗雲追上幾步，沮喪而回。

麗雲：是按怎我講不出嘴？我應當將伊留下來，這些田園我一人要怎麼照顧，可是我若開嘴是不是太大面神？唉，現在講這已經太慢了……阿松伊已經離開了。

△麗雲回頭望了一眼，不禁嚇了一跳，不知何時邱松又回來了，這回他肩上扛了一棵大樹幹。

麗雲：阿松——？

邱松：我……我路邊看到這塊杉仔柴，想說妳的厝若要重新蓋，也許可以作大樑。

△邱松將樹幹放下……

麗雲：多謝你啦……

邱松：沒事了，那……我走了——

麗雲：阿松——

△邱松高興轉身

邱松：妳還有啥代誌？

麗雲：我……無啦。有啦！我是講，這支雨傘你比較用得著，還是你拿去吧！

邱松：耶，查埔子講話算話，講要乎妳就是要乎妳。妳不要再講那麼多啦！

麗雲：我……

邱松：既然是按呢，那我要走了——

△邱松有些懊惱遺憾，但爲了面子還是轉身離去。

△麗雲本想喚住他，但卻欲言又止。她負氣地將雨傘丟在地上，突然發覺有東西鑽過腳旁，麗雲嚇得驚叫，跌坐在地上。

麗雲：啊——

△邱松聞聲又趕回。

邱松：發生啥代誌？

麗雲：有物件爬過去——

△邱松拾起木棒往草堆打，果然一隻老鼠急竄逃逸。

邱松：哦，原來是一隻老鼠啦，妳實在眞無膽，一隻老鼠也怕成這樣？

△麗雲輕輕飲泣。

邱松：啊？妳不要哭啦……我最怕查某人哭呢——

麗雲：我的腳……流血了——

邱松：啊？眞的呢，這樣不行啦，我看先送妳返去敷藥仔，橫直我卡慢離開滬尾嘛不要緊。

麗雲：可是……

邱松：妳看，好天了，日頭出來了……這幾天天氣一定很好，說不定我可以多住幾天……

△邱松扶起麗雲，順手撿起雨傘和鋤頭。

邱松：我忽然間想到，妳不是要「起厝」？我以前作過木象（木工），嘛作過土水師父呢。

△邱松與麗雲離去，麗雲一副深情的眼神望著喋喋不休的邱松。

邱松：（唱）若講起厝我眞能
土水木象我作透透
風颱大雨絕對不漏
以前大家攏請我作工頭

麗雲：（唱）滬尾雨水一直落
命中注定你是無法逃
心中輕輕叫一聲阿松哥
望你是我一生的倶靠

合唱：媽祖的聖籤眞靈聖
答應的代誌攏有影
兩人攜手逗陣來打拼
金玉滿堂子孫歸大廳

△天幕上烏雲散去，露出陽光，照耀著滬尾的稻田，淡水河的河水倒映著觀音山，好似潛存著生生不息的渾厚生命力。

△燈暗

△全劇終

八十八年度國立中正文化中心
歌仔戲劇本第一名

台灣·我的母親

故事大綱

「羅漢腳仔」是獨自渡海來台的先民，在艱困環境中奮鬥的寫照；雖有單身漢的意涵，卻潛藏更多的先民血淚史。

彭阿強帶妻兒至蕃仔林開墾數年後，欲將領養的童媳燈妹與小兒子人秀送作堆，人秀卻突然得到惡疾而亡。

阿強之妻蘭妹責怪燈妹命帶掃帚，燈妹欲跳河自盡，幸金漢救了她。

開墾的良田因惡棍葉阿添勾結官府反變成阿添的，爲符合當墾首的條件，阿強聽石輝建議，說服金漢入贅與燈妹完婚。

申請墾首之事被退回，又逢颱風鉅變，燈妹產下一畸形女嬰。阿強次子人華與芹妹離家出走，隨後金漢也離去。阿強強忍悲痛，認爲是年輕人尚不懂土地貞義。

甲午戰爭後台灣歸日本人統治，阿添又勾結日人欺壓眾人，阿強忍無可忍，遂帶村人反抗。危急中，趕回的金漢殺了阿添，阿強卻替金漢頂罪，死在日人槍下；遺言要金漢不可離開蕃仔林，因爲那是台灣人子孫生長的地方。

人物表

邱　松：男，廿六歲，不學無術見風轉舵的羅漢腳仔，雖有人性的缺點，卻有一顆善良助人的心。
劉金漢：男、二十多歲，義勇入贅至彭家與燈妹完婚。
燈　妹：女、二十多歲，本欲與人秀送作堆，人秀卻在結婚前一日病發身亡。
彭阿強：男、六十歲，帶領彭家人在蕃仔林墾地，一生爲土地與大自然博鬥，卻死於人的壓迫之下。
彭人傑：男，彭家長子
彭人華：男，彭家二子
彭人秀：男，彭家三子
蘭　妹：女、五十歲，阿強之妻
彭美玲：女、二十歲，彭家么女，喜歡金漢
葉阿添：男、五十歲，貪婪的墾首，欺壓村人終死在金漢之手
林　水：男、二十多歲，義勇，金漢跟班
良　枝：女、人傑之妻
芹　妹：人華之妻

阿星師：相命師
許石輝：村人
柯三塘：村人
鈴　木：日本軍官

序場 惡耗

場景：彭家客廳

人物：燈妹、阿強、蘭妹、人傑、人華、人秀、金漢、阿陵、芹妹、良枝、阿星師、石輝、三塘

△幕起之前，舞台洋溢著喜慶的音樂，八音鼓吹，夾雜著賀客的恭禧聲。

△幕起時，客廳東邊的窗戶斜射一道旭陽，遠遠隱約傳來雞鳴聲，彭家上下忙碌不已。

合唱：彭家開墾今有成
四時佳氣村人敬
鼓吹八音吹不停
百年好合鸞鳳和鳴
夫妻全憑是緣份
婚姻之禮遵古訓
阿伯阿嬸擱牽孫
大家相娶要看新郎君

△在合唱聲中，燈味端出稀飯小菜，阿強與蘭妹走入廳中。

燈妹：爹，娘，好吃「早起」了。（早餐）

阿強：嗯——人傑和人秀還沒回來？

蘭妹：應該愛返來了，透早天未光就出門……燈妹，妳要作大人呀……妳雖然是我小漢就抱返來的「心蒲仔」，但是要加妳和人秀送作堆，我嘛是照起工！

燈妹：（羞澀）阿母……我……

阿強：哈……免歹勢啦！小漢時拵人秀愛加妳欺負，但是大家攏嘛講恁二人「尚適配」啦！

△此時人傑、人華捧著禮品入內

人傑：爹，結婚要用的物件攏「傳」好勢——

人華：大項的物件還在外面，燈妹，趕緊來逗腳手！

△燈妹隨人華從右舞台下

人華：石輝叔仔伊厝的石磨仔借返來，眞重呢——

△人華與人秀搬石磨入內，人傑上前接替人秀

阿強：先扛入去後面……

△人傑與人秀華搬石磨從左舞台下，燈妹提些東西入內

人秀：燈妹……

（唱）小漢妳就來阮厝受苦
「心浦仔」是妳的稱呼
今晚以後咱就是尪仔某

燈妹：（唱）我會眞心對待勿乎妳「氣魯」
阮小漢就是「心浦仔」命
平時攏叫伊人秀兄
甲伊送作堆是阮的命
心情卻似油水落火鼎

△燈妹臉上一陣臊熱，嬌羞地從左舞台下，差點撞到人傑和人華……

人傑：咦？燈妹是按怎？唉呀！人秀，以後恁就是尪仔某，不適擱像囝仔共款不時冤家……

人秀：我那有？是伊不時嫌我若囝仔，我才「印」二句仔……

阿強：恁兄弟仔就是你尙軟弱，娶某了後「卡接」甲恁阿兄伊去田裡……

人秀：爹，我知影啦，外口還一包米我來去扛入內。

△人秀急急從右舞台下

人傑：阿母，按呢甘好？
（唱）厝內頭嘴眞正多
一人二碗飯碇就見底
阿爸故意吃尙尾
吃了我感覺是咧作罪

人華：（唱）今日情形無同款

人秀和燈妹結鳳鸞
阿兄儘管吃不用煩
灶腳好料的還咧「傳」

蘭妹：（唱）燈妹小漢抱返來飼
阿星師講伊八字有卡硬
恁阿爸講厝內欠腳手
才會不甘甲燈妹嫁出去

人傑：是啦，阿娘說得沒錯，燈妹確實是一個難得的媳婦。

蘭妹：人華和芹妹攏生兩個了，現在擱有身了，你和良枝尚早結婚，怎麼到現在攏無消息？

△良枝和美玲端東西入內，正好聽到蘭妹的話，良枝顯得有點不自在。良枝放東西後急急離去。

人傑：良枝，妳要去叨位？

良枝：我……我去溪邊洗衫——

△良枝匆匆離去。

人傑：其實無生囝仔嘛不能怪良枝——

美玲：對呀！阿娘，不能怪大嫂，應該怪大兄——

（唱）生子雖然不是眞困難

嘛不是靜靜憨憨仔等
錢無二個甘會「陳」？
怎可只怪大嫂眞閒慢？

人傑：妳擱黑白講，看我按怎加妳修理——

△人傑作勢欲打美玲，美玲急急閃避

美玲：娘……妳看大兄要打我——

△美玲玩笑地東閃西躲，正好撞上從外入內的義勇金漢和林水。

美玲：唉喲——是金漢兄——

金漢：（唱）凶凶一個黑影甲我「推」（ㄟ）
原來撞到美玲眞歹勢
阮二人是專工來送禮
順煞逗腳手通好殺雞

美玲：（唱）你也知影阮三兄要娶某
你二人小漢穿共領褲
所以你才會走彼種三角步
你若惹我一定乎你叫媽祖

林水：（唱）惹熊惹虎不通惹赤查某
後擺啥人娶妳一定叫苦

金漢：（唱）人秀燈妹今日拜祖宗

　　妳何時嫁尫我一定來加妳打鼓

美玲：免你管啦！你自己無娶，還管人要不要嫁？

金漢：唉！我劉金漢和林水只是一個羅漢腳仔，無田無地，那有人要嫁我？

林水：阮兩人早就覺悟要作羅漢腳仔一世人！

蘭妹：只要認眞打拼，羅漢腳仔嘛會出頭天！金漢、林水先來吃飯啦——

金漢：歹勢啦，還沒逗腳手就先吃飯？

蘭妹：美玲，「娶」伊去灶腳吃飯——

△美玲向金漢噘噘嘴，先行從左舞台下。林水和金漢欲跟下卻發覺挺著大肚子的芹妹和燈妹捧著竹簍從外入內。

蘭妹：唉喲，芹妹呀，妳肚子那麼大了，可別拿粗重的物件。

芹妹：我會「細字」啦，重的物件攏是燈妹加我逗提……

燈妹：阿娘，我叫二嫂休息乎我來無閒就好，可是——

芹妹：唉喲！妳是新娘呢，怎麼好勢乎妳作粗重？

金漢：是啦，燈妹，我和林水今日專程來加妳賀禮順煞逗腳手，粗重的乎我和林水來就好！

人傑：人秀和燈妹結婚，一定會替咱彭家生很多囝仔——

△此時阿星師、柯三塘，許石輝相繼帶賀禮入內

星師：恭禧……恭禧——

蘭妹：唉喲，阿星師，三塘仔、石輝仔、人來就好，還這麼厚禮數？

星師：這是應該的，咦？怎麼沒看到阿強兄？

△突然外面傳來重物倒地聲，接著傳來阿強喊叫聲

阿強：（ＯＳ）人秀，你是按怎？

△人傑、金漢和林水先後奔出，牛轡將昏迷的人秀抬進來。焦急的阿強亦隨後跟入

△衆人呼天搶地呼喚人秀的名字，人秀幽幽醒來

人秀：（唱）忽然全身親像落火鼎
心頭一陣亂擱一陣驚
面前走來走去的黑影
莫非彼是要來愛我的命。

燈妹：（唱）晴天霹靂起風浪
人秀你千萬不通黑白講
一定是在外口吹到風
不通襪記你今晚要作新郎

人秀：我肚子好熱好痛……肚臍下……唉喲——

金漢：對啦！阿星師不但會請神，還會看病，你緊加看邁。

△阿星師為人秀把脈……

阿強：是按怎？

星師：（搖頭嘆氣）著天釣——（著寒熱仔）

△衆人驚訝聲中夾雜著呼喚「人秀」的叫聲

△燈妹愣在原地，燈光留在她臉上後全暗——

△燈暗

第一場　出殯

場景：野外山坡

人物：燈妹、蘭妹、阿星師、人秀、阿強、阿添、石輝、三塘、隘（義）勇二人

△送葬隊伍緩緩從上舞台列隊走過。幢幡在空中飄搖，阿星師走在前向空中拋洒銀紙滿空飛舞，四周籠罩著一股沈重的哀戚。

△燈妹著未亡人的喪服，捧著神主牌哭泣走著——在所有人陸續走下場後，殿後的燈妹終於哭倒在地。

燈妹：（唱）落葉墜地隨風舞
　喜事怎堪變喪事
　泉路渺茫通地府

心肝親像刀在鋸

△蘭妹也蹣跚步伐從左舞台上

蘭妹：（唱）種樹澆水樹仔大欉
飼子咱是恩望一世人
無疑一切全是空
茫茫渺渺淚兩行

燈妹：（唱）徒呼奈何難尋伊
陰陽兩隔可聽見我哭啼
若有代念在生的情義
你怎會忍心作你去

△四周轉化成幽深的燈光中，人秀的人影出現在右舞台。

人秀：（唱）萱庭魂返三更月
黃泉路上難再回
離親別妻是大罪
燈妹的情份要去叨位找？

蘭妹：人秀……返來，阿母「娶」你逗陣返來……

燈妹：人秀——

△不管燈妹如何撲前、人秀就像一陣風、抓也抓不到、摸也摸不著。

△燈妹激動地跪在地上磕頭

燈妹：（唱）千拜萬拜只求你返來
　　尙無你愛代念父母還在
　　就算你無愛作我的尪婿
　　我嘛甘願任你來安排

人秀：（唱）大限既至我嘛無奈
　　生離死別眞是悲哀
　　冥冥之中自有主宰
　　今後陰陽永遠隔兩界

蘭妹：人秀，不要說了，咱鬥陣返來，這兒風眞大，咱趕緊返來……

人秀：燈妹……妳舉頭……乎我擱看妳一擺——

△燈妹抬頭，終於忍不住放聲大哭

蘭妹：人秀——

人秀：阿娘——我拜託妳……不通加燈妹爲難，我……要來去了——

△人秀往右舞台退，蘭妹和燈妹驚呼撲上前去，但那有人秀的影子？

蘭妹：人秀——你不能丟下阿娘作你走——

△蘭妹抱住大石哭泣、燈光又恢復了野外的光線。

△燈味緩步上前安慰蘭妹

燈妹：阿娘——

△蘭妹突然憤怒打燈妹一巴掌

蘭妹：（唱）妳這個剪刀柄鐵掃首
阿星師講妳命格令人愁
我不聽才會乎人秀來承受
阮彭家後悔將妳留

燈妹：（唱）一切攏是阮的命
矇矓好似看到人秀的人影
燈妹不敢要求啥
只求阿娘邁趕我出大廳

蘭妹：妳尚好離我卡遠咧，要死去別位啦——

△燈妹欲解釋，被蘭妹推倒在地；蘭妹呼天搶地從右舞台下。

△樹上傳來鳥兒叫聲，燈妹抬頭望

燈妹：（唱）莫非出世落土時
人的運命相差何止千里
歹命燈妹無法度加伊相比
樹上鳥隻連理枝
又見人秀在彼邊搖手

伊是不甘我一人在空房守
情願與他共渡一舟
潮湧春江四處遊

△燈妹喃喃自語、不覺走上河邊

燈妹：人秀……前面有河……河水是要流去叨？順流而去是否會見到你？

△燈妹望望神主牌，又望望河水，似乎下定決心，她將神主牌放在地上。

燈妹：罷了——阿爹、阿娘，如果恨我能減輕恁的痛苦，那你就恨我……我出世就罪業深重……人秀、你腳步放慢，我要隊你去，你在前面等我——

△燈妹決心跳下左下舞台的河中之際，金漢急急奔上，正好拉住了燈妹。

金漢：燈妹，妳在起肖？

燈妹：不要拉我、乎我死——

金漢：（唱）人講一人是苦一項
無兩人是苦相共
人秀忍心將妳放
妳又何苦要來投江

燈妹：（唱）如果恨我阿母會卡好過
我願承擔一切的重罪
趕緊隊在人秀的後尾

恩望在陰間甲伊作伙

△燈妹又欲跳河，金漢拉她，兩人拉扯雙雙跌倒在地，金漢內疚扶起她

金漢：燈妹……人死不能復生——

燈妹：（唱）是我歹命剋死了人秀
害人害己我惹人愁
何必強留人間飲苦酒
一旦無常萬事休

燈妹：金漢兄——

△燈妹委屈地伏在金漢肩上哭泣，金漢先是一陣錯愕，繼而同情地嘆氣將手扶抱燈妹。金漢正想說些安慰話時，卻聽見咳聲，阿強鐵青著臉，不知何時已站在右舞台上。

金漢：阿……阿強伯——？

△金漢急急推開燈妹、兩人慌亂尷尬地站起——

金漢：燈妹方才要跳水自盡……我……是我救伊——

阿強：哦？

燈妹：爹——燈妹對不起彭家……要不是我，也不會剋死人秀——

阿強：唉！生死有命，富貴在天！這是人秀自己無福氣！來！甲阿爹逗陣返來去——

金漢：阿強伯，我……

阿強：金漢！人秀剛過身，我厝內也需要腳手，你若有閒來阮厝加我逗「相共」！

△三人正欲離去，卻見左舞台上葉阿添帶著兩人在丈量什麼……

阿強：咦？甘不是阿添兄？你在作啥？

阿添：阿強兄，我督好想要找一個機會甲你講，這蓄仔林附近的田園，官府已經允准我作「墾首」！

阿強：什麼？你是講？

阿添：墾首的意思就是講這附近的土地攏總是我的，恁每一個攏愛向我繳稅，然後我再繳稅乎官府。

金漢：可是這兒是阿強伯仔伊歸家伙仔辛辛苦來蓄仔林開墾的，是按怎你拿尺隨便量量就變成你的？

阿添：這怎麼能怪我？你不歡喜嘛可以向官府申請作「墾首」，官府若准，你有法度量多遠統統是你的！

金漢：按呢那有公平？

阿添：你不服？好膽去加官府講，歹勢，邁擋路——

△阿添推開金漢，與二個佣人邊丈量邊從左舞台下。

金漢：葉阿添——（唱）人講天無照甲子
人嘛是愛照天理
不通以爲無人可加你治

有一天你會不知按怎死

△阿強正想說什麼，右舞台又匆匆走上石輝，三塘和林水三人。

石輝：阿強兄，你方才有看到葉阿添？

阿強：剛剛走過，講伊現在已經是咱蕃仔林的墾首。

石輝：哼！伊根本就是土匪，是按怎咱自己開墾的土地還要向伊納稅？

阿強：唉，我嘛知土地是咱用血汗換來的，但是伊是官府發的墾照！

三塘：騙肖的！什麼是墾照？什麼是墾首？

阿強：只要你有錢，飼一些義勇和火槍，去巴結官府，官府若准你就是墾首，你就是大地主，所有的人攏愛向你納稅金。

金漢：這實在眞無道理，錢……咱可以去借，只是火槍和義勇要叫啥人來擔當？

阿強：這個嘛——

石輝：阿強兄，難道你要眼睜睜看土地變成葉阿添的？

阿強：好！恁若有法度解決，我全力配合！

三塘：那這樣好辦！金漢和林水本來在外位作義勇，由金漢帶火槍作義勇頭尙適當了——

金漢：我？按呢甘好？

△石輝和三塘密語後，將阿強拉至一旁

石輝：阿強兄，這件代誌一定要你答應才行！

阿強：什麼事？

石輝：（唱）打虎抓賊親兄弟

義勇尚好嘛是咱自己

三塘：（唱）不如將親事嫁乎金漢伊

一兼二顧彭家又擱添喜

阿強：這嘛——

石輝：你不用考慮，這是兩全其美的方法——

阿強：可是，伊兩人——

石輝：問看邁，若成嘛是一樁美事——

△阿強點點頭，走向金漢和燈妹

阿強：（唱）方才情形你有看分明

不愛乎人欺負咱愛自省

申請墾戶需要刀和槍

要請兩位保咱莊內的太平

金漢：（唱）你是莊內的頭人

我嘛隊你歸落冬

算來親像自己的序大人

不知你是愛我作叨一項

阿強：金漢，關於義勇之首，只有你最有資格，你若答應我也不會虧待你！

金漢：只要阿強伯吩咐，金漢豈敢不遵？

阿強：嗯，很好！爲了表示將你當作自己人，我要招你作子婿！

金漢：啥？你要我乎美玲招？

阿強：不是！是燈妹——

△金漢與燈妹同時驚訝的情表

△燈暗

第二場　婚禮

場景：彭家客廳／新房

人物：阿強、蘭妹、阿星師、石輝、三塘、金漢、尾妹、燈妹、彭家兒子及媳婦賀客若干

衆人：（唱）掃開三徑延佳客
燈妹新娘作二回
堂前龍鳳雙燭火
喜看門前結紅花

△彭家又是張燈結綵，洋溢著喜氣。客人上上下下向阿強、蘭妹恭禧。石輝、三塘

和阿星師也趨前道賀，穿著新郎服的金漢在林水陪伴下從左舞台上。

石輝：恭禧……阿強兄……哇，金漢新衫穿起來眞是一表人才！

金漢：頭一擺作子婿，我啥攏勿曉！

林水：放心啦，頭一擺卡無經驗，過兩三遍就啥都知道了。

三塘：林水，你在講啥？

林水：我？歹勢，算我無講——

星師：放心啦！嫁娶的禮數我攏安排好了，我還特別選今日端午午時入洞房！

金漢：是按怎愛選這個時刻？

星師：（唱）燈妹八字有卡硬
端午午時陽最盛
乾陽正時眞分明
陰煞遠避萬事成

金漢：（唱）世間甘有這種的代誌
剋來剋去眞怪奇
我和燈妹歡歡喜喜
尪某若同心何必懷疑

星師：金漢，你少年人不通鐵齒！

阿強：是啦！金漢！阿星師的話在咱蕃仔林是無人敢不相信的，何況伊按呢做也是爲你好！

金漢：我知影，阿強伯……不！阿爹，阿娘，以後我絕對會好好照顧燈妹——

蘭妹：嗯，你會這麼想，我是真歡喜——

△此時美玲嘛嘴負氣走上，望著金漢，故意踢倒竹簍，衆人回頭

金漢：啊？美玲？

蘭妹：美玲，時辰快到了，緊去牽新娘出來拜祖先——

△美玲不理會蘭妹，咬著下唇，哭泣直奔入內

蘭妹：美玲——唉！這個囝仔是去沖犯著啥？

阿強：邁管伊啦，叫芹妹和良枝牽新娘出來——

△幕後傳來鞭炮聲，良枝、芹妹牽著穿新娘服的燈妹走出與金漢併站一起。

星師：好！現在時辰督好，緊來點香拜祖先……然後再拜高堂——

△燈妹與金漢在八音喜樂聲中依阿星師的指示分別拜了祖先和高堂。

星師：（唸）新娘新郎來同房，今日魚水得相逢，暝日天上送貴子，富貴長壽福滿堂。

林水：我嘛要唸……（唸）人客坐大廳，聽到甌仔聲，新娘在準備，不通乎伊著驚。

星師：你唸加「不達不七」——

△新人向神主三叩首，阿強伯補上一句。

阿強：（唸）龍鳳相隨，代魚開嘴。

夜夜相對，萬代富貴

星師：好了，按手印——

△阿強和蘭妹先在招婚書上按手印，金漢也上前按手印。

星師：禮成，送入洞房。

△金漢牽燈妹走入新房，走向下舞台，此時布景昇降，逐步轉換成新房的場景。

阿強：各位鄉親，請先到前埕奉茶，等一下請各位多喝幾杯。

△衆人在阿強引導下，陸續走出。

△新房內只剩金漢和燈妹，兩人誰都不敢開口，金漢終於鼓起勇氣欲說什麼，正好
燈妹站起身來，脫下了淺紅的新娘衫，

金漢：啊？燈妹，妳脫衫要作啥？現在天還未晚……

燈妹：你黑白講啥……
（唱）你是想甲叨位去
換衫甘一定愛作啥密
我是想到豬還未飼
簡單的代誌你何必費心機

金漢：（唱）大喜之日還想要飼豬
講起來實在眞伶俐
能夠娶到妳是我的福氣
一定是祖先保庇我才會遇到妳

△燈妹在屛風後換穿舊衣欲出，金漢急急拉住她

金漢：燈妹——

燈妹：你……你要作啥？

金漢：（唱）有話想要甲妳講
心肝一時亂慌慌
每人的命運大不同
想不到能娶到妳這個女紅妝

燈妹：（唱）燈妹本是歹命人
本是註定一世人守空房
爹娘對我眞疼痛
枯枝逢春又發新欉

金漢：（唱）以前我對妳有意愛
非份之想是不該
想不到好運到不知
我一定要作妳的好尪婿

燈妹：（唱）命帶骨仙削是削勿律
彭家對咱攏有恩
日後你愛對人眞孝順

才勿失自己作人的本份
燈妹：你乎彭家招，住在銅鑼的親人甘有同意？
金漢：阮爹和阿媽早就過身了，阿母在我還未四歲的時就放我去改嫁——
燈妹：你……會恨伊嘸？
金漢：我有去找伊過……對了，這腳銀「手指」送乎妳——
燈妹：你怎麼有這？
金漢：是阮阿母要走的時拵「葉」乎我的錢，我用那些錢打一腳「手指」還有一對耳環——
△燈妹接過，內心泛起一陣暖意，但也掩不住失望。
燈妹：好漂亮的耳環，可是……我的耳仔還未穿耳洞呢——
金漢：不要緊，妳先收起來放……其實妳就算無化妝嘛是「眞水」呢。
燈妹：（嬌羞）你不要黑白講啦——
金漢：（唱）我講的是我的心內話
不是畫山畫水黑白畫
相命仔講我相貌堂堂眞適配
出外帶兵會作到大元帥
燈妹：可是……阿爸不是希望你逗腳手留下開墾？
金漢：（唱）相命仙又講我有將相的氣度
只是可惜欠人引路

講我脖子長長命中欠土
蠟燭兩頭燒是無變步

燈妹：啥意思？

金漢：（唱）我的一生多災又受苦
命中註定娶一個水某
全靠賢妻來照顧
逗陣陪我走過風雨

△燈妹難掩欣喜神色，但又透露不安

燈妹：（唱）姻緣若是天註定
按怎艱苦攏是命
若想到「剋夫」這一件
恍恍不安心未定

金漢：無這種代誌，妳不但不會剋到我，顛倒我的福氣以後全愛靠燈妹妳呢！

△金漢見燈妹背對著他，他偷偷吹熄蠟燭，上前牽起燈妹的手。

金漢：燈妹，先休息一下……

燈妹：不要……（嬌羞）

金漢：以後，我會認眞打拼，絕對不會讓妳受苦，將來若賺錢，我會買卡大腳的金「手指」！

△金漢扶半推半就的燈妹至床沿，突然外面響起一聲脆雷，燈妹嚇得鑽進金漢懷中。

外面傳來下雨聲。

金漢：下雨了……咦？燈妹，妳怎麼哭了？是不是我惹妳生氣？

燈妹：（唱）我是歹命的「心埔仔嫖」

人講我出世要來討債

心事從來不敢對人提

偏偏有你憨人要娶我爲妻

金漢：（唱）尪某本來愛相照顧

今夜起咱就是尪仔某

此後妳我愛走共路

若無對妳好我才是糊塗

△一聲價天震響的脆雷，嚇得燈妹尖叫——

燈妹：啊——

金漢：燈妹——

△燈妹略回神，才發覺金漢摟著自己，羞澀地想離身，金漢卻抱得更緊了，這回燈妹沒有拒絕。

金漢：妳驚「陳雷公」？

燈妹：（點頭）

金漢：其實……我嘛驚……以前我總是一個人，雨愈大雷公愈大聲，我就愈孤單，不過以後咱兩人逗陣有伴再怎麼陳雷公嘛不驚了——

△金漢和燈妹四目深情交織著……

△燈暗……

第三場 衝突

場景：福德廟前

人物：村勇若干、阿添、石輝、三塘、阿強、阿星師、金漢、人傑、林水

△燈亮時是武打的快板節奏，幾名村人來回奔逃。

△另一批村勇在葉阿添帶領下持棍棒衝上來，雙方一陣交手，村勇打敗了村人。

阿添：追——

△阿添率村勇追去——從左舞台下

×　×　×

△石輝、三塘、阿強及村人亦陸續從右舞台上

石輝：阿強兄，你也已經知影消息了？

阿強：（痛苦點頭）咱申請作墾首的代誌被駁回——

石輝：理由呢？

阿強：理由說得明明白白，講這些土地已經批准乎葉阿添，那有咱的份？

三塘：這一定是彼個葉阿添在搞鬼？

阿強：這還不要緊，裡面還附有佃書，叫咱蕃仔林所有的墾戶十日內要向葉阿添辦理租佃契約，不然要依濫墾條例嚴辦！

石輝：什麼？那有這種道理？我無法度忍這口氣，我要去甲葉阿添拚——

阿強：阮厝邊新搬來的范乾，謝阿潭兩兄弟就是甲葉阿添理論，已經乎官府抓去——

石輝：我不驚！就算我活著，辛辛苦苦開墾的土地難道就這樣奉送乎別人？

三塘：對！石輝兄我支持你！

石輝：阿強兄，你呢？

阿強：唉……

（唱）拚生拚死來這受苦
目的只想乎子孫一片土
是按怎人心這麼黑
一定愛逼人走到無路

石輝：（唱）伊無顧咱的生和死
咱就不免跟伊在客氣

三塘：（唱）這回吃咱是吃眞起

無甲伊拚以後就無時機

阿強：好！進無步，退無路，咱甲伊拚——

△眾人群情激憤時，阿星師匆匆趕來

星師：稍等一下——

阿強：阿星師，你跑這麼匆忙，發生啥代誌？

星師：彼個葉阿添……來了——

△眾人訝異回頭，見葉阿添帶兵勇走來。

阿添：哈……諸位鄉親請了——

阿強：葉阿添，你有啥代誌？

阿添：相信諸位攏已經接到官府通知，我葉阿添從今以後就是恁的頭家。

石輝：你太過份，土地是阮辛苦流汗開墾的，按怎「無講無擔」煞變成你的？

阿添：恁這叫作濫墾，是犯法的代誌。官府發墾照乎我，我就是頭家！那恁這些人是一世人註定作佃農啦！

星師：阿添……大家平平是唐山來的，你何必吃人那麼夠？

△阿添不語，掏出幾張佃契欲交給眾人，但無人願接，只得悻悻然交給阿星師。

阿添：阿星師，我今日好意專程送租佃契的來乎恁，每一人二份，印仔蓋好送一份返來乎我——

三塘：（怒）我才無聽你「龜在吼」！

阿添：我不會加恁勉強，但是後果恁自己愛負責！

阿強：阿添舍，是不是能再參商？

阿添：參商啥？不通以爲「好孔的」攏是我一人，恁繳田租乎我，我嘛愛向官府繳官租！

石輝：可是你並無花一分錢，出一分力——

阿添：這是官府規定的，頭家埊首就是按呢！總講一句攏是命啦，啥人叫你要投胎的時無摸卡大粒的門圈仔？我加恁講，十日內無來辦的自己負責——

△阿添將契約紙交給阿星師，指揮鄉勇離去。

△石輝上前搶過一份契約，撕碎丟向空中，碎紙像隻隻蝴蝶緩緩飄下。

石輝：我要跟伊拼了……

星師：大家不通衝動！

阿強：阿星師，你講，你有啥好對策？

星師：（唱）阿添舍是官府的代表
伊的話就是法條
你若將伊抓起來吊
你甘知影後果會去了了。

三塘：啥後果？

星師：（唸）殺人本來是死罪
造反咱是愛用生命賠

石輝：（唸）甘講目睭金金看這個罪魁
　　　　　乎伊侵佔咱的地皮
阿強：（唸）阿星師一向足智多謀
　　　　　趕緊想辦法來避禍
星師：（唸）不管按怎公道一定愛討
　　　　　若無咱會連一項都攏無
阿強：你有啥辦法緊講呀！
星師：咱一方面擱換人向官府申請新的墾首，一方面擱向阿添舍求情。
阿強：這嘛——
三塘：何必這麼麻煩？竹篙逗菜刀，殺加乎無地逃！
△突然又是一聲巨雷，接著又下起雨來，衆人紛紛躲至廟內。
星師：唉！我看今年一定是歹年冬，歹命的蕃仔林人喔，甘還有其他的生路通走？
阿強：各位……雨這麼大，不如先到阮厝避雨……
星師：我看這是風颱天！
△衆人訝異的神情
阿強：剛才天氣還眞好，那有可能是風颱？
△突然人傑、金漢和林水匆匆跑來
人傑：阿爸……代誌不好了——

阿強：啥代誌？

人傑：剛才下了雨，突然刮起一陣強風，將果子園裡面的竹棚全部吹倒了。

金漢：不止按呢，一欉像人腰這麼粗的樹仔，風一吹嘛吹吹倒！

林水：連我站在「田岸」，嘛乎吹落「爛田」——

△阿星師望著天空泛紅的雲彩

星師：你們聽……風按呢「咻唔——咻唔——許忽……許忽」這種聲音，還有這雨從北掃落南，還有恁看，這雨掃一二丈了後就散形去，這是「竹篙泳」！風颱的竹篙泳呀——

△眾人訝異的表情——

△在雷雨風聲中，夾雜著嬰兒的哭聲

△燈暗

第四場　天災

場景：野外

人物：阿強、人華、人傑、蘭妹、林水

△是一種颱風過後的狼狽，劫後的田園與山崗像被徹底翻了過來。

△阿強伯與衆人靜靜望著小溪，默默不語

人傑：（唱）無情風颱來所害

農田淹水像大海

天公伯仔實在不該

按怎放乎田園作水災

人華：（唱）一片汪洋找無自己的田地

全是爛土是要按怎犁

平地變成大圳溪

看到頭殼憨憨旋

△人華忍不住激動地哭了起來

阿強：查埔人哭啥？

人華：阿爸……無半項呀啦……咱返來去啦——

阿強：哭啥？要返去你先返去！金漢呢？

人傑：燈妹肚子痛可能要生了；伊留在厝內加照顧！

阿強：軟腳蝦就是軟腳蝦，招伊入門是恩望來逗腳手，無疑誤每樣都不會，廢人啦，現在又擱假無意避在房間內……將鋤頭乎我！

人傑：阿爸，田園都乎水流了了，這個所在甘值得咱繼續開墾？攏去了了……

阿強：恁看我不是好好站在這，什麼去了了？

人傑：田園流了了，咱無法度「種作」，「春扮」乎餓餓死？

阿強：只要有土地，人就不會餓死！

人華：現在除了一些爛土什麼都沒有，難道我們以後三頓吃爛泥巴會飽？

△阿強突然憤怒一巴掌打得人華眼冒金星，衆人訝異，蘭妹正好趕到見到這一幕。

蘭妹：老仔，你是按怎打囝仔啦——

阿強：（唱）恁大家甲我聽詳細
土地雖然流落去圳溪
只要大家同心合齊
有土地就會成家

蘭妹：（唱）有話你就慢慢甲伊講
不免氣加強要抓狂
天災地變是大風浪
就是神仙嘛無法預防

阿強：（唱）我帶全家開墾這個所在
早就不驚有啥的阻礙
一定要乎土地稻穗開
要乎全家吃飽「無弟代」！

人華：可是……風颱夜，芹妹剛生下一個女兒，我耽心……

阿強：住口！你若驚死，你可離開，看你要去叨位隨在你，尙好離乎遠遠——

蘭妹：有話慢慢講，何必對自己的「後生」發「性地」？

阿強：我無這種無骨氣的後生！

蘭妹：人華，芹妹昨暝才生，你先返去加照顧！

△在人傑示意下，人華這才咬牙離去。

阿強：其他的人要返去順煞返去，我無相信我一人作不來——

△阿強搶過鋤頭，逕自往田園走去

蘭妹：危險啦——人傑、林水、溪流還眞大，恁跟過去看看……

△蘭妹眼看阿強氣呼呼離去，卻一籌莫展

△人傑、林水不敢多言，拿起柴刀匆匆尾隨而去

△蘭妹望著家人背影，又望望四周剛被風災摧殘的大地，不覺低頭嘆息——

△燈暗

第五場　分枝

場景：新房

人物：燈妹、金漢、良枝、美玲、人華、芹妹、阿強、蘭妹、星師、石輝、三塘、阿添、

義勇三人

△燈妹躺在床上呻吟，美玲在旁照顧

燈妹：（唱）欲產胎兒卻遇大水
煩惱厝內這麼多頭嘴
囝仔若出世甘擺有位
陣陣風聲像替我吐氣

美玲：（唱）外口災情一直傳
平靜的所在起事端
看伊肚痛床上一直旋
阮的心情眞正煩亂

△金漢從外端來一碗稀粥，燈妹欲起床，金漢將稀飯端給美玲，急急上前攔阻

金漢：燈妹……妳不要起來，妳躺著……

燈妹：我還沒飼豬，我要去飼豬……

美玲：飼啥豬？豬仔早就給水沖走了，剩下我們能活命已經眞萬幸！

燈妹：唉喲——

金漢：叫妳不要起來妳不聽，對啦，我端了一碗稀粥，妳先喝了恰有元氣——

燈妹：不……我不喝，你喝，喝了才有氣力加阿爸甲阿兄伊逗腳手——

△美玲有點醋意地將稀飯端給金漢，然後噘嘴走出。

美玲：恁二人自己去參詳啦——

金漢：耶，美玲——

△金漢欲言又止，端著稀飯神情反而落寞起來

燈妹：金漢，你好像有心事？

金漢：（唱）我原來是一名義勇

不是佃農的面相

算命的講我是英雄

住在厝內我愈來愈無路用

燈妹：（唱）阿爹對你並無啥要求

是你自己在房間內「縮」

跟著阿兄伊作免憂愁

作久工作就會上手

金漢：（唱）我若舉到鋤頭強要哮

作田不如灶腳烘土豆

明明活牛綁在死樹頭

水底樹根早慢嘛一定會臭

△燈妹正想說什麼，突然肚子又劇痛不已。

燈妹：唉喲——

金漢：燈妹——

△兩人的驚呼聲，引來了美玲，良枝

良枝：啥代誌？

金漢：燈妹從昨晚一直喊肚子痛，會不會要生了？

良枝：可是還沒足月呀！

美玲：也許是動了胎氣……耶？甘會是早產？

金漢：啊？那要怎麼辦？趕快叫產婆——

良枝：蕃仔林那有產婆？芹妹生的女兒攏是阿母加轉臍！

金漢：按呢……我緊來去叫阿母返來——

△金漢匆匆離去

良枝：美玲，妳先照顧燈妹，我出去撿柴準備起火燒開水。

△良枝走出客廳時，布景降下，場景轉換成客廳

△良枝發現人華和揹著孩子的芹妹正欲走出客廳，從他們的扮來看，似乎要出遠門。

良枝：人華，芹妹……你們要去叨位？

人華：大嫂……

（唱）請妳轉告阿娘和阿爹

人華無資格作伊的子

恩情無報心尚痛

良枝：（唱）後世作牛作馬才還伊的命
　　　　　　恁想要離家來出走
　　　　　　為啥代誌愛離開咱兜
　　　　　　阿母若知一定會哮
　　　　　　恁攏無代念伊已經年老
芹妹：（唱）嫁雞隨雞嫁狗隨狗走
　　　　　　嫁乞者揹枷杞斗
　　　　　　不是忍心強要走
　　　　　　想要看外口有啥好「翅頭」
人華：大嫂，我若外頭賺有吃，一定會返來好好加妳說謝！
　△話完人華拉著芹妹匆匆離去
良枝：人華、芹妹！怎麼會這樣？我看要趕緊甲阿爹阿娘講——
　△良枝正欲出門，人傑、林水扶受傷的阿強入內
良枝：啊？阿爹，你是按怎？
人傑：阿爹跌倒掉到河裡去，好佳哉攀到大石頭，否則……
阿強：不會死啦！恁帶我回來作啥？外口田園的工作要按怎？
　△此時蘭妹和金漢隨後入內
人傑：爹，你在厝內休息，工作就交乎我和人華來做啦！

林水：對呀！金漢和我攏會逗腳手

△阿強望望金漢，不悅地嘆氣——

金漢：阿爹，不是我不去園裡，而是燈妹伊——

△內室傳來燈妹輕聲哀號聲

蘭妹：是不是動了胎氣：緊入來去甲看邁——

△金漢與蘭妹匆匆入內

良枝：阿爹，一件代誌一定要乎你知……人華和芹妹已經離家出走了——

阿強：什麼？

△阿強極力在壓抑自己的情緒……人傑欲上前扶他，反被阿強推開

阿強：（唱） 眞正是來作爸子是寃仇

好子歹子免瓊究

飼子大漢我又何求

可比樹葉放水漂流

人傑：阿爹——

阿強：（喃喃）樹木大欉……總是愛分枝……

△此時阿星師，石輝和三塘又匆匆趕來

星師：阿強兄……代誌不好了……彼個阿添舍擱來——

△衆人訝異回頭之際，葉阿添和義勇手下已經走入

阿添：（卑躬曲膝）阿強兄——

阿強：（唱）看到你我風火就著

你又來要惹啥風波

風颱大雨引起大禍

土地還天公無奈何

阿添：（唱）我是專程來看邁

風災確實眞厲害

但我嘛是愛繳銀入衙門內

若無伊會加我制裁

阿強：你嘛知影，田土攏流了了，要等到何時才有法度收成？你還要阮去繳田租？

阿添：我嘛不是彼種無講道理的人，所以專工來甲恁大家參詳——

石輝：要收田租可以，但是你要補償阮一筆重整土地的補償金！

三塘：有理，先補償阮一筆錢！

阿添：唉！我現在嘛是無錢！

星師：你無錢也想要作頭家？不如換阮自己來作，阿強兄你說好嗎？

阿強：阿添舍，阿星師說得不錯，你何不放阮一條生路，乎阮自己重新申請開墾證，只要你願意放棄，你可以開條件！

阿添：這嘛：天無照甲子，人嘛愛照天理，人心總是肉作的，我葉阿添不是無講情理的人。

星師：咦？你答應了？

阿添：天災嘛；人總是愛活下去，但是恁也不能讓我吃虧呀！

阿強：你有啥條件？

阿添：八十兩的申請開墾補償金！

△眾人訝異得面面相覷

石輝：八十兩？咱蕃仔林人攏總嘛無這麼多白銀！

阿添：我當然知影大家攏有困難，八十兩不用一次付清，可以分期來繳，但是利息是一分五厘，半年一付！

△石輝、三塘、星師和阿強四人聚在一塊商議。

△金漢又從內室走出，和人傑、林水三人細語，金漢知原委幾次想衝過去找阿添理論，但有義勇保護，只好又隱忍下來。

三塘：阿強兄，你看按怎？

阿強：八十兩是個大數目，我驚咱付不起！

星師：雖然會很難苦，但起碼是咱翻身作墾首的大好機會！

△四人目光漸漸取得交集，阿強帶頭走向阿添。

阿添：考慮了按怎？

阿強：好！阮答應你的條件，但是你要先開一張放棄作墾首的同意書！

阿添：這是當然！但是在換執照之前，仍然要用原名去繳官租，這點恁愛諒解！

金漢：稍等一下……

（唱）按呢實在無合理
你的話乎人眞懷疑
萬一官廳不允許
八十兩銀煞乎你吞吞去

阿添：我講過了，人的心是肉作的，我阿添舍甘是彼種無良心的人？

人傑：阿爹，我看擱考慮一下——

阿強：無你的代誌——阿添舍，就這麼決定！

阿添：很好！八十兩由各戶分擔，現在就請恁先寫一份借據乎我——

人傑：剛淹過水，去叨位找紙筆？

阿添：放心！我準備好了，恁只要在借據上按指模就好！

石輝：原來你早就算計好了？

阿添：也……石輝舍，要不要是自己歡喜甘願，我是無加你勉強！

△阿強衆人似乎沒有退路，略一遲疑，先後在借據上按指模。阿添舍交出一張同意書

阿添：這是我放棄作墾首的同意書，恁要趕快換個人名，重新再申請墾首……若無代誌我先告辭了——

△阿添得意地帶著義勇離去

人傑：爹……這件代誌我愈想愈不對……

石輝：嗯……這個葉仔阿添怎麼會突然變得菩薩心腸？這其中可能有詐——

阿強：唉……

（唱）葉仔舍是啥人我嘛知

希望伊是眞心來悔改

千萬不通擱加咱害

若無伊是罪大惡極大不該

星師：（唱）阿強兄所言甚是

那無咱還有啥法度加伊治

天公伯仔若知影伊將咱欺

嘛勿目睭金金看咱乎餓死

△內房傳來嬰兒哭聲，衆人訝異。

金漢：啊？生了——一定是燈妹生了——

△金漢急急衝入——半響突然傳來金漢大叫的聲音。

金漢：（OS）啊——

△衆人訝異時，金漢神態沮喪從內走出

人傑：金漢、是不是燈妹生了？查埔還是查某？

金漢：（唱）燈妹產下一女嬰
鼻目嘴是生作明明明
未足月出世是大幸
虧腳破相身軀煞變形

△眾人訝異的神情

△燈暗

第六場　離家

場景：土地公廟前

人物：阿強、蘭妹、金漢、燈妹、美玲、人傑、星師、林水、三塘、石輝

△燈亮時村人們在廟前祭拜

眾人：（唱）二月初二土地公生
家家戶戶殺雞擱殺豬
希望神明逗保庇
全家平安眞順利

△阿強、蘭妹、美玲在廟前拜拜、燈妹擺牲禮祭品。

△金漢在下舞台抱著啼哭不止的嬰兒，金漢束手無策急躁地交給旁側的林水，林水更是手忙腳亂，又將嬰兒還給金漢。

金漢：（唱）搖呀搖我咧惜呀惜
人講囝仔不是哭就是笑
不是屎就是尿
再哭我就將妳丟在路邊乎人撿

△燈妹拜了拜插了香後，急急走到金漢身邊，金漢立刻把嬰兒交給燈妹。

燈妹：（唱）出世囝仔不識代
是按怎大聲加伊歹
人講和氣才會生財
我是愛加你講幾擺

金漢：（唱）不是我愛發脾氣
是囝仔一直哭哭啼啼
我查埔人要按怎加妳比
抱囝仔一世人甘會出頭天

燈妹：（唱）你怎麼變甲無耐性
無騙囝仔嘛愛逗無閒
田裡工作你愛加人逗「相併」

不通一日到晚拿彼支槍
金漢：（唱）我學作田是要作啥
彭家後生攏出去打拼
要成功咱愛自己成
我想要娶妳逗陣行
△阿強與蘭妹，美玲不知何時來到金漢身邊
燈妹：爹——娘——
蘭妹：恁二人又擱爲了囝仔冤家？
美玲：厝內冤，來廟埕也冤不驚人笑！
△燈妹抱著嬰兒嚶嚶低泣，金漢則低頭不語——
阿強：金漢，這個查某囡仔雖然早產又擱虧腳虧手，但是會活下來，這是註定要甲咱吃穿！
金漢：我知影……我只是……
阿強：（唱）咬牙吃苦不是只有恁尪某
我比啥人攏卡艱苦
明知要來討債要來乎咱「魯」
卻不忍心送伊走黃泉路
金漢：我知影……是我反對……我嘛不要這樣作——

蘭妹：（唱）家若和是萬事興
家不和是萬世凝
囝仔出世要隊咱吃穿
這是前世冤仇這世還

金漢：不是這個理由……
（唱）我是煩惱彭家頭嘴這麼多
土地不知何時才會孵芽
看這種辦勢親像有風颱尾
你講日子以後要按怎過

△阿強似乎聽出金漢的話意，沈吟半響

阿強：你有啥想法你就明說吧！

金漢：我……我在彭家也幫不上啥忙，我只會曉作一名義勇，想要出去……

蘭妹：金漢……你雖然是阮招的，但是阮攏將你當作自己的人，是按怎現在忽然想要離開？

金漢：我不是現在才想要離開，我根本不是拿鋤頭的人。

蘭妹：金漢，你聽我講——

阿強：蘭妹不要說了……金漢，我不勉強你，要走你就帶這個囡仔走！

金漢：我意思是講……我和燈妹阮尪仔某出去！

阿強：（怒）你在作夢！

蘭妹：邁發性地啦，有話慢慢講——

△廟口村人慢慢圍攏過來，指指點點

燈妹：金漢，不要說了——

金漢：不！就算今天不說、以後我還是要說——

阿強：你根本無了解蕃仔林這個所在，因爲你不了解土地。

金漢：你有了解？那按呢你講爲怎樣一場風和雨，就乎蕃仔林變成這麼淒慘？

阿強：（搖頭輕嘆）蕃仔林無變，土地猶原在這個所在，變的是人，只有人會離開土抛，土地絕對勿離開人。

金漢：不管你按怎講，我還是要離開，我求你乎我帶燈妹逗陣走！

蘭妹：恁這些少年人到底在想哈？人華留一個查某囡乎我飼，你現在又想要留這個無辜的囝仔？

金漢：我是乎恁招的，囝仔當然姓彭……我只要娶燈妹走！

阿強：好！要娶燈妹逗陣走，那你就拿出六對銀！

金漢：六對銀？我啥攏無，你這分明是爲難我——

阿強：沒有那就免談！

阿漢：你不乎伊走，我嘛會偷偷娶伊走！

燈妹：不！金漢，我絕對不會跟你走——

△眾人訝異

金漢：啊？是按怎？

燈妹：（唱）爹娘對我恩重如山
冒然離開心難安
人情義理尙蓋難
離開以後咱就無相干

金漢：（唱）男兒立去在四方
不是我心肝眞梟雄
只想出去見彼落大風浪
忍痛離開我嘛心茫茫

燈妹：（唱）你的心意已決定
我不敢誤你的前程
如果你若代念尫某情
不通未記厝內的情景

金漢：（唱）作我的某子眞可憐
一世人是這麼貧賤
不管此去按怎麼
絕對成功返來妳眼前

△金漢似乎心意已決，鐵了心將燈妹推開，望了阿強蘭妹一眼後匆匆離去，林水也隨後追去

林水：喂，稍等我——

燈妹：金漢——

美玲：劉金漢，無路用的人，以前算我目睭乎蛃仔肉糊著才會甲意你這種人——

△美玲忍著淚水往家裡奔回

阿強：唉！要走就走……走得遠遠地……當伊若眞正了解土地的時拵，伊就會返來——

△蘭妹向前撫慰燈妹，燈妹反而委屈哭了起來

燈妹：阿母——

蘭妹：走……我先帶妳回去——

△蘭妹扶燈妹離去，阿星師、石輝、三塘及人傑匆匆趕來。

人傑：阿爹，阿星師講有重要的代誌要加你講——

阿強：啥代誌？

星師：你可知影大清朝跟東洋蕃開戰了——

石輝：什麼是東洋蕃？你剛才說外賊犯主是啥意思？

星師：（唸）台灣東北海島有生蕃
赤身裸體起大亂
生作矮矮腳擱彎彎

性情好殺講要來犯

三塘：啊？啥人贏？啥人輸？

星師：（黯然）唉？聽講大清已經打輸——

△眾人嘩然，人心惶惶

人傑：那怎麼辦？如果東洋蕃來，豈不是將咱撕吃入腹？

星師：前日是戍亥之交，我就注意到一連三夜，月娘上方出現妖星，這是外賊犯主之兆。

阿強：你是講……歹年冬？

星師：（唸）怪事連連不止歹年冬

南部有三腳狗食死人

北部囝仔心肝乎人挖到空空

還有雙頭怪嬰吊樹欉

阿強：這……豈不是天年變囉，那一定會死人，會死眞多人……

△眾人驚訝

△燈暗、黑暗中似乎傳來槍砲嘶喊打戰吶喊之聲……

第七場　戰後

場景：彭家客廳內外

人物：美玲、人華、芹妹、阿強、蘭妹、人傑、良枝、金漢、林水

△煙霧中是兩軍交戰的場面。一陣斯殺後，日本太陽旗獲得勝利。

△燈又暗——

△轉場音樂中燈亮……

△美玲在廳外劈材……沒注意到外面是人華和芹妹抱著嬰兒回來了——

人華：美玲——

美玲：啊？二兄？二嫂？恁返來了？

△美玲興奮地朝內呼叫

美玲：阿爹，阿娘，二兄二嫂返來了——

△彭家幾乎所有的人陸續奔出

人華：阿爹、阿娘——

△人華、芹妹撲通跪在阿強和蘭妹面前

人華：（唱）雙腳跪在爹娘前

心肝卻似火鼎煎

芹妹：（唱）離開已經有數年

漂泊之苦親像綁鐵鍊

阿強：（唱）想要開嘴來責備

　　　　內心猶如刀在鋸

蘭妹：（唱）囝仔返來應該歡喜

　　　　趕緊娶入來團圓

△阿強、蘭妹強抑淚水、扶起人華和芹妹

人華：阿爹，我返來了——

阿強：返來就好……彭家的人永遠是彭家的人——

△家人們紛紛與人華、芹妹招呼，燈妹見景生情，難過地低頭

△人華見燈妹欲往內，急急上前攔住她

人華：燈妹——

燈妹：二兄、二嫂恁返來了

人華：我知影金漢嘛出去，因爲我在竹塹（新竹）遇到伊——

燈妹：什麼？金漢伊……好嗎？

人華：聽我說來……

　　（唱）彼工義軍反攻竹塹城

　　　　雙方很多人攏無命

　　　　後來日本軍攻入城

　　　　金漢走到無看影

燈妹：後來呢？

人華：（唱）金漢伊是一名好男兒
參加義軍英勇無地比
見面了後匆匆離開
向南而來甘無返來看妳
△燈妹傷心搖搖頭
人傑：（唱）現在是日本人加咱管
金漢勇敢敢加伊造反
阿強：（唱）改朝換代是有錢人愛心煩
這個所在嘛是還有難關
人華：阿爹，你是講……？
阿強：（唱）葉仔添實在神通廣大
日本人來還是作伊後台
一個月利息討幾落擺
有人氣到「吊斗」被伊害
蘭妹：（唱）咱是無搶也無偷
墾戶永遠是伊作頭
按呢是逼咱無地走
無定著咱全乎伊趕出咱的兜

人傑：講到這個葉阿添實在可惡，現在換日本乎伊作靠山，變本加厲，叫每一戶按時繳利息，照這樣下去，咱是一世人無法度出頭天。

△話未完阿添和一名日本軍官出現

阿添：哈……啥人講一世人無法出頭天？那得要看你會不會鑽營！

人傑：阿添舍，你擱來作啥？

△人傑上前見日本軍官，原本的衝動又壓抑下來

阿添：少年人不通衝動，雖然換天年，但還是有國法呀！

人華：國法也不能逆天理！

阿添：對！我的人就是講天理、國法，嘛也講人情。若無彼八十兩白銀那有乎恁欠那麼久？

阿強：那根本就是你的詭計——

阿添：耶……借錢是雙方歡喜甘願，甘講我有拿刀押你一定愛加我借錢？

阿強：廢話少說，你帶日本人來，不是來開講的？

阿添：沒錯！我就是爲了催收債銀之事而來，恁眞久無繳利息了，再不繳就麻煩恁連本金攏還我！

蘭妹：（唱）你也不是不知影
甘講你攏無聽到風聲
囝仔哭餓叫阿娘

阿添：（唸）家家戶戶無米通落鼎
妳按呢講甘有合情理
不管講啥來推辭
今日「鈴木桑」來主持正義
愛大家契約重新來打起
阿強：我這世人永遠不擱訂啥契約了，請你們回去吧！
人傑：你聽到無，阮阿爹講請你和這個東洋蕃返去！
鈴木：「拿尼」？（說什麼？）
△阿添向鈴木細語告狀，鈴木突然上前，一掌打在人傑臉上，又一腳踢了人華——
鈴木：巴格雅鹿
△衆人欲衝動，阿強制止
阿強：大家不要衝動——
鈴木：（唸）「阿拿達」全是清國奴
「瓦達區西」乎恁氣甲面反黑
恁這畜牲眞糊塗
土地愛重新乎恁租
阿添：鈴木大人，伊好像不願意訂契約呢！
鈴木：巴格！不訂契約一律處死！

△阿添急急安撫……

阿添：大人，先不要生氣，咱先乎伊一個期限！

鈴木：嗯！三天爲限，三天內無來土地公廟訂契約，官衙會派警備隊來，將蕃仔林的人統統抓起來！

阿添：是！（轉向衆人）阿強兄，話你攏有聽到，尙好不通甲日本人作對，若無後果你愛負責——

△在阿添奉承中，鈴木囂張地離去

△衆人憤怒，但見阿強伯沒動靜也不敢造次——

△阿強似乎陷入了深思，目光望得很遠很遠……

蘭妹：老伴……

阿強：（唱）第一日來到這個所在
我就發現一個新世界

蘭妹：（唱）你講土地眞闊通到海
囝仔要生到排歸落排

阿強：（唱）咱的祖先按怎來台灣
因爲這兒有土地達心願

蘭妹：（唱）尙驚最後變虛幻
這個世界甘眞正這麼亂？

人傑：可是你失望了？

阿強：（搖頭）我永遠不會對土地失望，因為土地一直甲咱逗陣作伙。

△遠方角落金漢和林水狼狽的身形躲躲藏藏，阿強的話他聽得一清二楚

阿強：（唱）拿著鋤頭我才感覺老
不管啥打擊我絕對不走
遺憾金漢離開咱兜
伊不知我每日思念咧等候

燈妹：（唱）金漢自己不能吃苦
艱苦嘛是伊選的路
不該放子又擱放某
你講伊是不是眞糊塗

阿強：（唱）也許我是錯看伊
伊本是有情擱有義
當時對土地若無懷疑
伊就不甲咱來分離

美玲：（唱）金漢的代誌明日再卜卦
北風已起阿爸不通受風寒

蘭妹：（唱）四十年的尪某每日相看

你一定有啥心事瞞騙我

阿強：唉，妳放心，我自有分寸，爲了子孫的將來，我怎會不知輕重？

蘭妹：自從嫁你了後，啥代誌你攏會甲我參詳，這擺……你千萬不通作糊塗代誌——

△屋角飛過一隻鳥，振翅叫聲憾動衆人心靈

阿強：咱尪仔某一世人，我從來不曾騙過妳啥，只是代誌若到手，總是愛作一個選擇——

△阿強逕自緩步入內，他的背更彎了，衆人扶他尾隨而入，只剩燈妹和美玲陪蘭妹。

美玲：阿母，阿爹伊攏入去呀，咱也入來去……

蘭妹：美玲，等一下妳和我來拜土地伯公——

美玲：是按怎？又不是初一十五？

蘭妹：（搖頭）我無法度替妳老爸承擔重擔，但是我可以祈求土地伯公保佑，保佑蕃仔林的人大家平安無事……

△美玲點點頭，陪蘭妹緩步走出

△無台上只剩落寞的燈妹，她撿起木柴，滿臉傷感……

燈妹：（唱） 一日一月日子慢慢過

金漢到底何日回

捧起木柴要起火

我與他敢是火盡的土灰？

△金漢與林水從暗處叫她

金漢：燈妹——

△燈妹訝異回頭卻找不到人

燈妹：啥人？

△燈妹再回頭，終於發現是朝思暮想的丈夫

燈妹：金漢？眞的是你？金漢——

△燈妹喜極而泣地投入金漢懷中

△燈暗

第八場　洗腳

場景：燈妹臥房

人物：燈妹、金漢

燈妹：（輕聲）金漢……金漢

△金漢從床後走出

金漢：無人知影我返來吧？

燈妹：你嘛眞奇怪，阿爹一定眞歡喜你返來，是按怎擱無愛乎知影？

金漢：我——我無面子見伊——

燈妹：甘講你一世人要避在房間內？按呢也好啦，剛才阿添舍和日本人來，阿爹的心情很歹，明仔哉咱再逗陣加伊請安！

△床上的嬰兒突然哭了起來

金漢：燈妹……這是咱的查某子？

燈妹：（搖頭）你走了之後無多久就死了——

金漢：啊……那……這個囝仔……？

燈妹：（唱）囝仔生了已經四個月
　　你要離開的時咱有作伙
　　生這個查埔仔是我第二胎
　　擱再半年就會叫你老爸

金漢：（唱）代誌講起來眞趣味
　　返來就有子會哭啼
　　看伊的相貌堂堂像劉備
　　一定是祖先有逗保庇

燈妹：將囝仔放在床上，我加你洗腳手——

△金漢放孩子在床上，然後坐在小椅上，燈妹擰了毛巾替阿漢擦背——

金漢：燈妹，這兩年辛苦妳了——

燈妹：（唱）聽見二兄講你去相戰

四界攏是戰火狼煙
每日甲公媽拜歸落遍
恩望你平安返來我眼前
金漢：（唱）我和林水摔落山溝
黑天暗地我驚到強要哮
抓一把土想到阮兜
我答應要照顧妳到年老
燈妹：（唱）若知你會險險生命無
擱乎日本人追到四界逃
我一定不要乎你犯錯
若無以後我有啥通偎靠
金漢：（唱）我一直走日本兵一直追
全身是土看來親像鬼
彼瞑嘴乾去飲溪溝水
躺在溪邊才知土地甲我相隨
△燈味一邊聽一邊替金漢洗腳
燈妹：（唱）用力掄到你的腳，
掄甲雙手酸擱痲，

搓了一層一層的土甲砂，
甘講人和土永遠葛襪煞？

金漢：（唱）今日才知阿爸的意思
不管人在世間活多久
土地親像咱人的身軀
一切攏是上蒼來所賜

燈妹：可是阿爹也是爲了土地煩惱呢——

金漢：不止是蕃仔林的人，全天下的人那個人不是爲了土地在拼命？妳甘知影？土地帶乎人生命和痛苦，嘛帶乎人希望，但是不管啥人將來嘛攏愛返去土內……

△燈妹將木盆端至一旁爲金漢擦腳，輕輕地像擦拭一件心愛的器具……

燈妹：（脈脈含情）你講按呢我聽攏無，你講土地帶乎人生命，死去又擱返去土地內，那生命就是土地囉？

金漢：（笑）不是土地啦……不對……說到最後應該嘛是土地啦！對！應該按呢講，土會發出很多物件，人嘛親像這塊土地生的，如果無土地就會感覺孤單和痛苦，所以最後攏總愛回歸到土地內。

燈妹：你是講……返去以前眞痛苦但是有希望，以後返去就不痛苦了，無痛苦就是無生命啦——

金漢：嗯……好像是這樣……生命痛苦……好佳哉因爲有地，按呢會減輕一些痛苦……

燈妹：可是……咱沒土地——

金漢：（唱）人講有志者事竟成
這回靠作田不是靠槍
只要咱認眞打拼無停
有一天一定有土地自己耕

燈妹：（唱）有土地當然是眞好
遇到歹人卻是無奈何
四界叫人去牽繩
鋻首搶咱的土地要如何？

金漢：（唱）咱也不是欠伊的債
世間那會有這種問題
就算我無官廳彼種勢
還有咱的後代一批擱一批

燈妹：是按怎？是按怎不講話？

金漢：是不是生命攏是這麼痛苦？

燈妹：阿爹不是不時講，作人就是按呢呀……作雞著「慶」作人就「併」！

金漢：對！按呢就是生命，按呢就是作人，燈妹——

△金漢扶著燈妹雙眉，四目交織後，燈妹終於投入他的懷抱。

△金漢表情複雜地凝望遠方

△燈暗

第九場　抗暴

場景：土地公廟前

人物：阿強、石輝、三塘、星師、蘭妹、美玲、良枝、芹妹、金漢、燈妹、人傑、人華、阿添、林水、木義勇若干

△晨曦中蕃仔林的人以阿強伯爲首，陸陸續續帶著砍刀、鋤頭、鎌刀、魚叉聚在廟前……

眾人：（唱）透早聽到雞仔的叫聲
眾人已經來到廟埕
點香插在金爐鼎
這擺準備要拼輸贏

△蘭妹在阿強身邊低泣，使得阿強有點煩躁起來

阿強：美玲，娶恁阿母返去，所有的查某嘛攏返去！

△美玲不敢拂逆，與良枝，芹妹扶蘭妹離去

△燈妹欲言又止

燈妹：阿爹，我有代誌——

阿強：妳嘛返去——

△燈妹不敢再說低聲說「是」後隨衆女離去

阿強：查某人就是會哭哭啼啼——

石輝：阿強兄，你有啥打算？

阿強：欠帳總是愛將帳算清楚——

△話未完，阿添和兩名義勇走來

阿添：對……還是阿強兄是明理的人，有欠帳當然愛算清楚！

△阿添走近發覺四周情況詭異

阿添：咦？「舉鎚舉杖」，竹篙逗菜刀，甘講恁是想要造反？

阿強：（唱）不是造反這是求情
阮一向對你嘛眞尊敬
欠錢雖然卡慢還
請你「手西」舉高是萬幸

阿添：（唱）你當我是三尺的孩童
求情應當跪落叫阿公
我若歡喜咱就慢慢講

若無不通怪我會抓狂
石輝：阿添舍，你不通逼人太甚！
星師：石輝兄，不可衝動！
阿添：別以為這種場面我就著驚？我加恁講，大日本的法律乎我作靠山，今仔日恁若無乖乖捺印仔，我就報官廳乎恁關到生蝨母！
阿強：阿添舍，不通逼人走上絕路！
阿添：哈……那就跪下來嗑頭求我呀！
人傑：你不是人，我跟你拼——
阿強：人傑，不可衝動！
人傑：阿爹，伊不是人，是伊吃銅吃鐵，吃咱的肉啃咱的骨，連血伊都要喝下去——
阿添：哈……血？就像殺一隻土狗仔流的下賤的血——
三塘：葉阿添……你雖然有錢，但眞正這麼冷血？
阿添：嚕嗦啥？再不捺印抗官命，就將恁全部抓起來——
△衆人刀棍蠢動，阿強倏地大喝
阿強：住手！
阿添：阿強兄……你想通了？
△阿強堅步逼近阿添，兩名義勇上前攔阻，阿強伯突然閃身出拳，兩名義勇應聲倒地，三塘與人華將兩名義勇押走。

阿添：你……你敢抗命──？

阿強：（唱）我最後再求你一遍

同情莊內的人眞可憐

阿添：（唱）任你講到嘴會噴煙

尙好向我這支刀交待遺言

△阿添突然抽出一把短刀，刺向阿強，阿強左閃右躲

阿強：所有的人不要動，由我來甲伊了結！

阿添：好！我就先殺你，然後再報官廳抓恁蕃仔林的人，就講恁全莊的人造反──

阿強：葉阿添，你一生只會靠官府的勢頭，霸佔民田，淫人妻房，你會夭壽絕代，死了

入油鼎，你半暝醒來良心會安嗎？

阿添：我聽你在放屁──

△阿添突然瘋狂砍來，與阿強對拆幾招後，阿強不愼跌倒。

阿添：彭阿強，你完了──

△阿添趁勢舉刀過頭正欲劈下，衆人驚呼之際，金漢突然大叫一聲從人群衝出。

金漢：葉阿添，我甲你拼了──

△金漢一刀刺中阿添背部，阿添似乎不敢相信。但已倒地斷氣──

△衆人急急扶起阿強，燈妹也從人群中擠出與金漢同時跪倒在阿強面前

金漢：阿爹，原諒我……原諒我這個不孝子婿……

（唱）叫一聲阿爹和阿娘
一時懵懂心頭未定
出外才知生活鹹淡
請恁原諒我是不孝子。

燈妹：（唱）燈妹跪落來懇求
金漢決定返來逗腳手
爹娘邁擱甲追究
阮尪某絕對不乎大家憂愁

阿強：（唱）你會返來我早有意料
我的意思你已經知曉
好柴嘛需要師傅雕
不通擱離開四界逍遙

金漢：我知影……只要種子落土，生命就開始——

阿強：對……我總算沒有看錯人——

△蘭妹眾人又急急奔回，混亂中日本軍官持武士刀帶士兵追來——

鈴木：巴格雅鹿，造反？啊？是啥人殺了葉阿添——

△阿強突然搶下金漢手中的刀，快步奔上廟前的舞台高坡——

阿強：是我……是我殺的！

鈴木：大膽！來人！將伊槍斃！

△士兵舉槍朝阿強開槍，阿強中槍堅不倒地

△衆人驚呼跪地——

金漢：阿爹——

阿強：愛記住……偲還少年……不通離開這個所在……我作鬼嘛要……留在……蕃仔林——

△阿強終於痛苦倒地，衆人趨前扶住他

△一道強光投照在他身上，全村人在驚呼聲中朝阿強跪下——

衆人：（唱）一生開墾爲土地

恩望田園會當世傳世

恩怨要向啥人來討債

一股英靈幽幽隨風吹

△尾場音樂起

△燈暗

△全劇終

八十六年度台北戲劇季歌仔戲劇本

聖劍平冤

故事大綱

古代中土南方小國的國王劉弘度突然瘋狂失蹤，王位由其弟弘熙繼位，但遍找皇城始終不獲鎮國之寶「綠玉璽」。

弘熙在太師馬昌與其子如龍助威下，欲逼皇后婚事，皇后不從，弘熙以太子明恆生命要脅，皇后不得已，暫以百日後再成親虛與委蛇。太子不知內情，對皇后不諒解。

明恆與如龍妹妹如瑩相逢在媽祖廟前，互訴衷曲，卻驚見父皇靈體，才知皇叔陰謀罪行。

明恆在其師父青風道長暗助下，以戲試探出弘度失蹤真象，終使弘熙陰謀敗露。如瑩夾在親情與愛情中，無力阻止太子與其兄如龍的決鬥，最後邪不勝正。

人物表

劉弘度：秦國國王，被其弟陷害。

劉弘熙：國王弘度之弟，受太師煽動，霸佔江山又覬覦皇嫂。

劉　明　恆：國王弘度之子，當朝太子，藉戲班復國，在愛情與親情中痛苦掙扎。
太師馬昌：野心勃勃的政客，慫恿弘熙篡奪王位，卻是成就自己登基的美夢。
馬　如　龍：太師之子，與公主明珠青梅竹馬；其父處心積慮扶持，但爲扶不起的阿斗。
馬　如　瑩：如龍之妹，與太子論及婚嫁，但好事多磨。
皇　　　后：正宮娘娘，明恆之母，遭逢鉅變，忍辱負重。
公主明珠：太子明恆之妹，如龍雖然極力追求，但明珠對其似有意若無情。
蕭　　　宗：戲班班主，忠義肝膽，助太子入宮復國。
青風道長：仙風道骨，弘度至友，太子之師。
其　　　他：武士多人、舞者多人、宮女多人、戲班多人、內侍多人。

場景表

皇宮花園
皇后寢宮
媽姐廟前
野外山景
皇宮大殿

序場　花園殺機

場景：皇宮花園

人物：弘度、皇后、弘熙、馬昌、明恆、如瑩

△鑼鼓聲中，幕緩緩昇起

△燈光投射在白紗幕後，舞台上呈現似眞似幻的情境

△皇上劉弘度與皇后動作恩愛。然後皇后服侍弘度斜躺在涼亭的貴妃椅上。弘度午睡，皇后與宮女退下

△皇弟弘熙鬼鬼祟祟從花園大石後走出，躡手躡腳至貴妃椅旁，見皇兄熟睡，取出一瓶毒汁，灌入弘度耳中，弘度驚醒大叫。——發覺弘熙不懷好意，大叫「來人」，弘熙抽劍刺皇兄，皇帝負傷逃奔而去——

△太師馬昌從右舞台上，鼓勵弘熙追殺——

△弘熙逼近弘度，弘度墜下深谷——慘聲迴盪——

△這段戲演完時，正好唱完兩段歌詞——

眾人：（唱）宮闈庭苑壁輝煌，
豈料多變殺機藏，
人心似海難捉摸，
弟來殺兄起風浪。

太師馬昌來煽動，
毒藥灌耳痛難當，
天子驚醒煞抓狂，
墜落山谷失影蹤。

△燈暗，突然傳來明恆淒厲叫聲

△燈亮時，明恆從右舞台衝入

明恆：父王——父王——
（唱）恍惚之間見父王，
全身鮮血疼難當，
夢醒只聽樹梢風，
心驚膽顫不見蹤。

△如瑩隨後趕上，表情詭異

如瑩：（唱）陪伴殿下後山遊，
碧山紅葉歲月秋，
山澗小睡梧桐樹，
何故驚醒面帶憂？

△如瑩上前慰問

如瑩：殿下，你叫我陪你來後山打獵，追失一隻小鹿之後，咱們在樹下休息，爲何忽然驚醒大叫？

明恆：如瑩——方才我作了一夢，夢見我父王——被人陷害——

如瑩：這——皇上乃九五至尊，哪有人敢加害？一定是你太累才作此惡夢——

明恆：不行，我還是放心不下，我——我要即刻回宮——

△明恆欲離去，公主與如龍相互追逐趕到——

如龍：稍等一下——公主，稍等一下——

公主：哼，枉費你馬如龍是朝中一員武將，竟然跑一段小山坡就氣喘如牛——

如龍：唉——公主呀——

（唸白）我是威武大將軍，
但自己嘛知本份，
若不是阮爸叫皇上來批准，
我哪有這種的好運？

公主：（唸白）你我雖是青梅竹馬，
看到你就一直要加你罵，
雖然你裝威風擱假文雅，
遠遠看去親像一個花硿。

如龍：（唸白）妳雖是當朝的公主，
我嘛是堂堂一個紳士，

公主：（唸白）我愛妳已經愛眞久，
妳若嫁我這是天來賜。
你尙好趴下才不會著槍，
從來代誌不曾作成，
愛我嫁聽分明，
一箭雙雕咱就鸞鳳和鳴。

如瑩：好了啦，阿兄，公主，殿下已經要回去了，你們還有心情講笑？

公主：皇兄，阮陪你來後山打獵，玩得正盡興，幹嘛要回宮？

明恆：我——我也說不出原因，只是突然間心血來潮，恍惚不安，所以我想要先行回宮。

如龍：稍等一下，要回去可以，等我先射兩箭再說——

明恆：唉，如龍，我眞的沒有心情，要射箭，改天再奉陪！

如龍：不——，你不但不能走，而且我還要你替我作證！

明恆：作證？

如龍：剛才公主講只要我能一箭雙雕，伊就要嫁我！殿下，阮小妹跟你這麼好，你也該幫幫我！

如瑩：（羞澀）阿兄，你邁黑白講啦！

明恆：一箭雙雕，談何容易？一箭一隻就眞了不起了——

公主：皇兄，我的行情敢有那麼差？

如龍：對！爲了表示我對妳的眞情，我不但要一箭雙雕，而且要表現我的絕技！
明恆：啊？你有啥絕技？
如龍：有看到沒？遠遠樹上有兩隻小鳥——，我不但要一次射出兩箭，而且——
公主：啊？兩箭射中兩隻？
如龍：射中那不稀奇，不但射中，而且一定射中小鳥的屁股！
△衆人訝異，如龍張弓吸氣，手一放，射出兩箭
△後台傳來兩聲落地聲，並傳來人的哀號聲
如龍：怎麼樣？射中了——
公主：鳥兒怎麼是這種叫聲？
△兩名農夫屁股中箭，哀號奔過——
△衆人愣在原地
△燈暗——

第一場　太子回朝

場景：皇后寢宮
人物：皇后、弘熙、馬昌、如龍、明珠公主、明恆、衛士二人、宮女、如瑩

△燈亮時，皇后在寢宮內

皇后：（唱）花近高樓風飄搖，
無端心弦搭錯調，
猶如重石絲線吊，
一夜無眠至破曉。

皇后：哀家賀氏，幸得皇上寵愛，恩封正宮娘娘，自從昨日與皇上在御花園一別，就一直心驚膽顫，今日烏鴉又擱在屋上亂叫，不知會發生啥意外，眞是令人擔心——

△此時一名宮女匆匆入內

宮女：不好了，娘娘，代誌不好了——

皇后：何事這般慌忙？

△宮女向皇后耳語，皇后大驚

皇后：什麼？皇上失蹤？妳講的是事實？

△宮女點頭

皇后：那我即刻去找皇上——

△皇后站起身來欲離去，兩名衛士上前攔阻

衛士：太師有令，皇宮發生變故，任何人不得出入——

皇后：大膽！
（唱）我是當今的皇后，

大膽奴才敢擋路，
還不快快退後步，
免得枉歸黃泉路。

皇后：（怒）還不讓開？

衛士：娘娘恕罪——

△此時傳來內侍高喊「王爺、太師駕到」——身著皇帝服的弘熙在太師馬昌及侍從簇擁下，神氣入寢宮

馬昌：參見娘娘——

皇后：皇叔，你來得正好，聽說皇上失蹤，皇后我正要去尋找他的下落。但是你為什麼要將我軟禁在西宮，不准我出去？

弘熙：娘娘息怒，為妳的安全，不得已下令金階武士保護妳的安全。

皇后：閒話休提，我現在就要去找皇上——

弘熙：娘娘稍等一下，我與太師衆人來見娘娘，正是要加妳稟告皇上之事——

皇后：啊？皇上——皇上伊是怎樣？

馬昌：啓稟娘娘，皇上在御花園午睡，誰知突然間瘋狂大喊，直奔山上——然後失足墜落萬丈山谷——

皇后：啥？我命休矣——

△皇后暈倒，宮女上前扶持

宮女：娘娘醒來——

皇后：（唱）果然吉凶先有兆，

皇上何故未知曉，

無端怎會來起瘋，

千丈深谷盲目跳？

弘熙：娘娘，切莫傷心——

皇后：——皇上龍體如今何在？

馬昌：啓奏娘娘，老臣帶領軍士在山谷之中搜查，卻不見皇上的屍體——

皇后：生要見人，死要見屍，你們無論如何一定要將皇上找回——

弘熙：皇上突然發狂之事，我想皇上很早就有自知之明——

皇后：你——你講這是啥意思？

△弘熙拿出一份遺囑——

弘熙：妳看，皇上可能早就知影伊會發生啥意外，所以預先寫了這份遺詔——

皇后：啥？遺詔？（接過觀視）

弘熙：是——遺詔內中寫得一清二楚，皇上怕他將來恐有萬一，太子又擱年輕無法管理國事，立詔將皇位讓予皇弟——也就是我劉弘熙！

皇后：（唱）聞詔心中起驚疑

如此大事卻如同兒戲！

我也不會聽皇上講起，
此事一定暗藏玄機。

弘熙：（唱）娘娘寬心莫懷疑，
也許皇上也不得已，
既是詔書來授意，
萬民社稷我會擔起。

皇后：不可能，皇上絕對無可能立這種詔書，而且——詔書之中並無玉璽之印。這分明是僞造——

弘熙：這——

馬昌：啓稟娘娘，雖然詔書之中並無玉璽之印，但卻是皇上親筆所寫！如今皇上駕崩，爲了朝廷安定，懇請娘娘獻出玉璽——

皇后：住口！遺詔看似皇上親筆所寫，但也有可能是你這般狼狽爲奸之徒所寫。要我獻出玉璽，除非我亡！

弘熙：哈——說得好！說得妙！妳應當清楚，現在文武百官攏在我的掌握之中，就算遺詔之中無玉璽之印那又何妨？

皇后：你——你和皇上雖然不是親兄弟，但伊冊封你爲王爺，想不到你竟然良心不足——

弘熙：娘娘，其實我最希望得到的人是妳——只要妳順從我，我猶原也會冊封妳爲正宮娘娘——

皇后：住口！俗語講，人在作，天在看，你如此無顧五倫之常，狂言亂語，待吾兒回來，

你難逃制裁！

弘熙：哈——妳或許不知道，現在兵權全部交乎伊馬太師，只要太子回宮，我一聲令下，

必然取伊性命！

皇后：啊，你——

△突然一名武士入內

衛士：報——太子回宮——

馬昌：哼！來得好！再去打探！

衛士：是——（下）

馬昌：娘娘，事關妳母子三人的生命，我想妳自己知影按怎做——

△先行入內的是公主，如龍從後追趕

如龍：稍等一下啦——妳聽我講啦——

公主：你還有面底皮通講？屁股是有射到啦，可惜射中的卻不是鳥——

如龍：最少也射中了，妳不要嫁我，也可以先訂婚呀！

公主：免想啦——餓狗也想吃豬肝骨？

如龍：我——

馬昌：如龍——

如龍：阿爸，你也來這兒？怎麼這麼多人好像菜市場？

馬昌：哼！今日朝中發生大事，爲爹欲將兵權交乎你，你竟然還在此嬉鬧無度，豈不令人失望？

如龍：啥？要將兵權交乎我？那我就是大元帥？

馬昌：沒錯！大元帥要有大元帥的扮！還不過來！

如龍：可是我跟公主——

馬昌：（怒）快過來——

如龍：來了——小聲也有聽到，何必那麼大聲？

公主：母后——馬如龍加我欺負啦——

皇后：這——

△皇后正在猶豫掙扎之際，太子明恆與如瑩入內

如瑩：殿下——夢中之境豈能當眞？何必如此心浮氣躁？

明恆：不管按怎，我一定要見到父王才能安心，金殿既無父王形蹤，我就找母后商問——

△明恆推開兩名衛士，衝入寢宮

明恆：母后——

皇后：皇兒——

△明恆見周遭衆人神色怪異，不禁神色數變——

明恆：（唱）身在後山見夢厄，

披星戴月趕緊回，

宮內四處亂紛飛，

莫非我已是不孝之罪？

皇后：（唱）看到皇兒心欲碎，

宮廷鉅變凶機隨，

皇上無端陰司歸，

留咱母子淚雙垂。

公主：啥？父皇伊——？

皇后：皇上失蹤了——

明恆：（唱）母后寬心莫勞神，

事出突然未必眞，

我會追究眞原因，

找到父皇才可信。

△皇后見到弘熙及馬昌不懷好意的眼神，不禁遲疑起來——

皇后：（唱）欲語還休舉步難，

思維動念在瞬間，

顧全殿下的危安，

委屈求全日後才除奸。

明恆：母后，既是父皇失蹤，就該派人四處打探，爲何重兵在宮中？

皇后：這——皇兒——你父皇——是自殺而亡，伊留有遺詔一封——

明恆：我不相信！父皇無端怎可能自殺呢？

馬昌：殿下切莫心急——不要說你，就是文武百官也無人相信。但事實擺在眼前，詔書寫得一清二楚！將皇位傳乎你的皇叔——

明恆：啥？這是眞的？

△明恆望望弘熙，又望望皇后。皇后痛苦掙扎——不知該如何回答——

馬昌：你若不相信，可以親自問娘娘就知——

明恆：母后——妳講——這敢是眞實的？

皇后：（唱）皇兒——

天意在人無厚薄，
投胎宮廷也許錯，
勾心鬥角心磨刀，
寬心放下免惹禍。

△明恆堅定地站起

明恆：（唱）既是天意豈能逃？
父皇絕無按呢作，
就算滔天的大波，
有我擎天作倮靠。

皇后：皇兒——一切攏是命——

弘熙：皇姪——遺詔之中雖然傳位乎我，但是我會好好照顧你以及娘娘——

明恆：這——

弘熙：唉！你的心情我了解——剛才我與娘娘參詳過，爲了報答皇兄的恩情，我不但要冊封你爲太子，而且——等喪期對年之後，我猶原要冊封皇嫂爲正宮娘娘——

明恆：我不相信——我不相信——

明恆：什麼？你——

△明恆不敢置信地望望皇后，皇后不敢否認，只是流淚——

皇后：皇兒——

明恆：（唱）聞言大驚擱失色，
母后怎會無原則，
正宮如何嫁皇叔？
宮廷蒙羞又失德。

皇后：（唱）指責之言如刀剮，
心氣親像燈要熄，
炎涼世態周易卦，
處境猶如落流沙。

明恆：既然妳在父皇生死未卜之時就貪圖正宮地位，以後我就無妳這個母親——

皇后：對！我不配作你的母親——你還記得嗎？以前南方有人進貢一尊媽祖，你父皇在後殿起廟供養，而且將你乎媽祖作契子——媽祖才是你的母親。

明恆：妳講這有啥路用？親生老母都不要我了，契母只是朝拜的神像，伊又擱能替我作啥呢？

皇后：皇兒——你記得嗎？你小漢的時拵，我不時帶你去加媽祖拜拜——

明恆：我不要聽了——以後有關妳的代誌，尚好攏邁乎我知影——我——我恨妳——

△明恆欲離去，如瑩阻擋

如瑩：殿下，皇上失蹤，宮中人心惶惶，你何忍對娘娘說出如此重話？你要鎮靜——

明恆：閃開啦！

△明恆推如瑩倒地，逕自奔出

公主：啊？皇兄——皇兄——稍等一下——

如龍：耶——妳要去叨位？

公主：我要找阮皇兄——

如龍：歹勢！我如今是大元帥，妳要去叨位一定愛乎我允准！

公主：我聽你在哮！

△公主一巴掌打了如龍後，逕自追去

如龍：（委屈）阿爸，伊加人打！

馬昌：哼！無路用「腳色」！

弘熙：哈——很好！既然妳有遵守約定，我絕無加害太子之理！但是我希望妳在對年之時，我與妳成親的日子，要獻出玉璽，要不然——到時候我也無法度保證太子的安全——哈——

△弘熙先行離去

馬昌：還不跟我回去！

△如龍、如瑩無奈尾隨

△皇后哀淒無助的神情——

△燈暗

第二場　幽明之間

場景：媽祖廟前

人物：明恆、如瑩、弘度、道長、馬昌、如龍

△燈亮時，明恆沮喪提酒壺走來，蹣跚的步代，顯示已有八分醉。

明恆：（唱）一心似月無圓缺，
萬事如雲千境絕，
未聞酒氣心先醉，

暖風吹綠長春雪。
魂在萬里江山外，
人在廟前煙雨花，
世事如棋多變卦，
江山異色如刀剮。

△明恆終於在廟前大樹邊睡著了——

△輕靈活潑的馬如瑩從右舞台上，步履猶豫，似乎在尋找什麼——

如瑩：（唱）滿架薔薇春日好，
一欄芍葯尤似哥，
天眞浪漫有何錯？
月移繡閣映金鎖。
秋色橫空天萬里，
書聲直到雞公啼，
廟前景物詩收去，
袖裡乾坤人可知？

△如瑩終於發現樹旁的明恆——

如瑩：啊？殿下？自從後山回來伊就避不見面，我就知道伊一定是來這間媽祖廟，只是
爲什麼伊會醉成這般？

△如瑩有衝上前去的衝動，但又猶豫不決

如瑩：（唱）古鏡照人寒澈骨，

明月映照如意郎君，

青風遇物乃如此，

江山難買我女釵裙。

世上未聞王鏡聘，

人間幾見金屋姻，

只望璧人得神恩，

鸞鳳齊飛相敬如賓。

△如瑩帶著嬌羞的表情和步代，慢慢走向樹旁，搖醒了明恆——

如瑩：殿下，醒來——

明恆：好睡——啊？是妳？

如瑩：如瑩見過殿下——

明恆：哈——殿下？不是！我早已經不是太子殿下了！自從我父王失蹤彼日開始，我不但已經不是殿下，而且這個江山也已經亡了——

如瑩：我知影皇上失蹤之事，一定乎你很大的打擊，但是你每日只知飲酒，醉倒在媽祖廟內，於事何補呢？

明恆：哈——於事無補——

（唱）名拋靜嶂心猶亂，
於事無補去憂煩，
麗質要分桃杏色，
好春新茁春艷願。
如瑩：（唱）閒吟柳絮詩偏好，
醉寫梅花半字多，
春風乍現芙蓉面，
何不解開心中鎖。
明恆：（唱）掃經竹蔭仍在地，
捲簾花氣找不回，
心中寒冰休再提，
煙花爆盡已成灰。
如瑩：（唱）去歲花開今歲果，
今年樹發滿山坡，
客中幾見花開落，
人俗非關所有無。
明恆：妳走——我不要再見到妳——
如瑩：我已經講過，阮爺親以及阿兄的所做所爲與我全然無關，自始至終我攏無法度忘卻你對我講過的話——

明恆：對！我講過我愛妳——我要娶妳爲妻！但是妳怎麼知道那是我的眞心話？難道妳

沒想過那是我對妳的謊言？

如瑩：不——我不相信，妳雖然講是騙我，但是你的眼神卻和以前一樣——

如瑩：（唱）連朝春雨又晴明，

習習涼風吹不停，

葉落飄飄在涼庭，

一切攏總是命定。

明恆：（唱）眼前事物三春景，

身後功名多少情，

昔日愛愛與卿卿，

恰似山邊的麗虹。

△兩人似乎憶起了過去的青春恩愛，甜膩地依偎擁抱在一起

△突然吹起一陣陰風——左上舞台傳來怪異的聲響，兩人回頭一看——似乎是弘度

的鬼魂出現——

如瑩：啊——（嚇昏）

明恆：啊？你是人還是鬼？

弘度：皇兒——我是你的父王——

明恆：啊？父皇？你眞的是父王？你怎麼會這麼狼狽？你是按怎不要回宮？
弘度：我——我被人害得好慘——
明恆：誰人害你——？你加我講，我替你報仇——
弘度：（唱）吾兒你要聽仔細，
　　禍端引起是我皇弟，
　　全無代念同一家，
　　太師獻計使我魂魄飛。
明恆：什麼？有這種代誌？
弘度：（唱）奸王心肝眞粗殘——
　　毒藥鍊成一金丹，
　　午睡灌入我耳間，
　　疼痛入骨令人寒。
弘度：（唱）壓迫皇后親事更不該，
　　所幸正宮有主宰，
　　暫時委屈來擺解，
　　貞節凜然自有天安排。
明恆：（唱）聽聞此言令我大怒，
　　爹親受難受苦楚，

奸王不忠又背祖，
冤仇不報豈不是糊塗。
明恆：父皇——想不到皇叔伊竟然罔顧倫常，不但害了父皇性命，又霸佔江山，現在又
想要強佔母后，我——我現在就去爲父皇報仇——
弘度：且慢！皇兒不可衝動！你要知道現在宮內軍權完全由伊掌握，皇兒若輕擧妄動，
必然遭受刀光之災。
明恆：那要如何？難道目睭金金看伊在朝中逍遙？
弘度：此仇要報，只是時候未到，皇兒只要暫時呑忍，等待時機若到，屆時奸王也難逃
天理國法的制裁。還有，爲了皇兒你自己的安全，你應當裝瘋，以免引起奸王的
殺機——
明恆：父皇——
弘度：交待之事，謹記在身，寡人要離開了——
明恆：父皇——稍等一下——
△明恆追上前去，但弘度已消失在黑色之中
明恆：父皇——父皇，你在那裡——難道你就這樣忍心放皇兒一人嗎？父皇，你出來，
我有話要跟你說——
△明恆焦急在夜色中搜尋未獲。夜色中走出一位道長——
道長：無量壽佛——

明恆：啊？你——你是？

道長：原來是太子殿下，青風有禮了——

明恆：你是青風道長？

道長：正是——當年東南之國進貢一尊媽祖，你父皇便蓋了廟院供奉，而且，派我在此主持，太子殿下不但出世之時乎媽祖作契子，而且小漢的時候，不時來此——

明恆：師父——不要再說了——小漢景緻猶原在，但是人事全已非——只怪我，當年若邁講要出外學武功，今日也不會發生這種代誌——

道長：唉——皇上失蹤之事實在令人可嘆——現在朝中上下罔顧倫常，長此下去，非是國家之幸——

明恆：師父，自小漢你就教我武功——一日爲師，終身爲父，你講——我要按怎才好？

道長：這——此事必須從長計議——

明恆：剛才我看到父王的魂體——伊講伊是被奸王所害——

道長：噓——小心隔牆有耳。唉呀——樹邊彼位小姐甘不是馬太師的千金？爲何昏倒在地？

明恆：必是乎父皇的魂體所驚嚇——如瑩，醒來——

△明恆上前扶起如瑩。如瑩幽幽醒來——

如瑩：（唱）茫——呀，茫耶——

驚聞叫聲還魂來——

冥冥魍魎排歸排，
幽幽明暗望鄉台，
定睛才知命還在——
明恆：如瑩——妳醒了——
如瑩：唉呀——！好驚人——剛才我好像看見——
明恆：妳看到的是——
△道長急急制止
道長：耶——馬姑娘看到的黑影正是貧道——
如瑩：啊？是你？可是我明明看到的是——皇上——
馬昌：如瑩——
△馬昌與如龍從左舞台上——三人訝異——
如瑩：啊？阿爹——
馬昌：參見殿下——皇上有要事要與你商量，卻在宮中找無殿下，原來是與如瑩在此道觀相會——
如瑩：阿爹！
（唱）只聞皇上來失蹤，
殿下一定眞慌忙，
阮二人是青梅竹馬，

探視慰問豈會失當？

馬昌：（唱）此地有人鬼鬼祟祟，
阿爹只是耽心妳安危，
既然殿下來到位，
倘好你二人要相隨。

明恆：（唱）太師此言眞枉然，
弦外之音眞見現，
莫非監視我是人犯，
君臣錯亂倫理狂顛——

△明恆有些裝瘋作傻——態度不可理喻——

馬昌：殿下請息怒，我急急而來，並非是監視殿下，而是繫心殿下安危——

△馬昌與道長不懷好意地互望——

如龍：是啦，如今皇上將兵權交予吾，殿下若是有什麼不測，如龍是吃罪非輕。別說是職責所在，論咱自小漢逗陣大漢，我嘛有義務關懷你這位朋友！

明恆：是嗎？馬將軍現在兵權在握，恐怕早已將我這個太子殿下不放在眼裡了——

如龍：太子殿下何說此言？

明恆：難道我要說得更清楚嗎？

如龍：你——

△眼見兩人互不相讓，道長急急打圓場

道長：殿下請息怒，馬將軍與太師也是一番好意——對啦！殿下與馬姑娘來此不正是要向媽祖上香，何不現在入殿參拜——

明恆：哼——

△明恆見道長頻頻眼神示意，這才悻悻入內——

如瑩：爹——女兒要陪殿下拈香參拜，女兒先行告退——

如龍：如瑩——妳——

△如龍欲攔如瑩，但馬昌卻攔住如龍，並示意讓如瑩離去

如龍：爹，如瑩是雲英未嫁，豈可與殿下如此卿卿我我？若乎外人知影，豈不貽笑大方？

馬昌：耶，伊兩人是青梅竹馬，而且殿下又是東宮太子，如瑩若是嫁乎他，嘛是伊的福氣——

如龍：可是——

馬昌：不要再說了——（轉身對道長）青風道長，別來無恙？

道長：好說，太師幾年未見，平步青雲，得意宮廷，可喜可賀——

馬昌：哈——何必如此客套？我得意宮廷，你在這間媽祖廟也有自己一片天，皇上平時對你禮遇有加，但願你是不會作出違背朝廷的代誌！

道長：哈——太師多慮了，貧道乃修道之人，怎會作出違背倫常之事？倒是太師你日夜陪伴皇上，但願你也能替萬民社稷著想，則是國家大幸——

馬昌：不勞道長費心。倒是皇上失蹤之事你應當也有耳聞，如果你知情不報，那可是欺君大罪哦！

道長：貧道不敢！

馬昌：哼！諒你也無這種膽！如龍！咱返來去！

△馬昌與如龍離去

△道長面露憂色，在嘆息聲中，燈暗——

第三場　玉璽之謎

場景：皇后寢宮

人物：皇后、如瑩、公主、內侍、弘熙、如龍、馬昌

△燈亮時，皇后在寢宮自艾自怨——

皇后：（唱）　五台煙雨樽前落，
四面雲山檻外坡，
景色依舊人事非，
驚聞呼聲返頭無。
皇上寵愛已成非，

飄飄人生如花蕊，
朝露尙驚日頭到位，
果眞無常業相隨？
△如瑩小心翼翼地來到寢宮前——
如瑩：（唱）人因棋敗須重戰，
客被詩纏不待言，
殿下心性已經大變，
入宮稟報娘娘前。
△如瑩入內，見過皇后——
如瑩：如瑩見過娘娘千秋——
皇后：妳——甘不是馬如瑩，妳不在太師府，來此何事？
如瑩：稟娘娘，我是特來向娘娘稟告殿下的消息——
皇后：啊？皇兒現在是怎樣？
如瑩：娘娘——
（唱）殿下終日與酒為伍，
現在醉倒在廟戶，
不聽苦勸又大怒，
無奈才來向娘娘訴苦。

皇后：（唱）此事當眞是實情？
以酒解愁愁上胸，
殿下怎會這麼不定性，
究竟何事起風湧？

如瑩：殿下一定是受了什麼刺激，以酒澆愁，現在已經醉倒在媽祖廟中。

皇后：唉！皇兒怎麼會變得如此消沈，那復國報仇之事伊豈不是當作馬耳東風？

如瑩：娘娘，什麼復國報仇之事？

皇后：耶——無——沒啥——如瑩，妳自小漢跟殿下是青梅竹馬，殿下若有不知上進之處，妳要多費神加伊苦勸。

如瑩：我知影，雖然有青風道長加殿下照顧，但是我感覺嘛是愛乎妳知影，所以我才來向娘娘稟告——

皇后：眞好！我還有一事相託，殿下酒醉之事千萬不通乎妳爹親以及皇上知情！

如瑩：我知影——

△突然內侍遠遠傳來呼聲——

內侍：（OS）皇上駕到——

皇后：啊？皇上到了——如瑩，妳最好先迴避一下，以免節外生枝。

如瑩：可是——我要躲在何處？

皇后：不如就在屏風後面暫避一時——

△如瑩依皇后之言，急急躲入屏風之後

△公主先行入內，如龍背後糾纏

公主：你眞是青仔欉，我走到那兒你就跟到那兒？

如龍：我是保護妳的安全呢！

公主：你自己保護自己卡要緊啦——

如龍：（唸白或唱）

金殿外口看到妳，

目睭一眨妳就走走去，

我有話要加妳表示，

害我追到強要喘死。

公主：（唸白或唱）

你這青仔欉加人追歸路，

別人不知以爲阮是歹查某，

拉拉扯扯眞粗魯，

起腳踢一下乎你叫阿祖。

△公主果眞一腳踹得如龍哀號不已

如龍：唉喲，妳眞正加我踢？我總兵大元帥呢——

公主：你若再跟來，絕對要乎你好看！

如龍：（唸白或唱）

我對妳早就有意愛，

妳應該知影阮心內，

今日一定是天安排，

乎我機會講乎妳知。

公主：（唸白或唱）

我是當朝的公主，

皇上掌上的明珠，

很多人對阮有意思，

照排隊你嘛愛等眞久。

如龍：啊？等眞久？

△公主逕自入內

公主：母后，我四界找，還是找無阮皇兄，這幾天不知跑去那兒。

皇后：剛才不是講奸王要來——

公主：對呀！我先早他們一步來——

△弘熙和馬昌上台，如龍迎上

如龍：參見皇上、阿爸——

馬昌：叫你防守宮廷，你四界走，成何體統？

如龍：有呀！我在保護公主安全，伊到叨位我就加跟到那兒！

馬昌：哼！我會乎你氣死——

△衆人入內

馬昌：娘娘——皇上駕到，妳怎麼不迎駕？

皇后：皇叔自封一國之君，但皇上只是失蹤不見，此事豈不是乎人議論？

馬昌：朝中豈能一日無君？皇上既是失蹤，由胞弟登基，這也是權宜之計。

弘熙：馬太師，娘娘初逢巨變，伊的心情我可以了解，寡人絕無見怪之理！

馬昌：皇上寬宏大量，眞是使老臣敬佩——

公主：你不要「假好雖」！你們在想什麼我攏知——

皇后：明珠，不可多言——

弘熙：娘娘——前日所提之事不知妳考慮得如何？

皇后：（唱）豈不知萬惡淫爲首，
違背倫常已蒙羞，
五倫不分豈能無憂？
強迫親事我絕不將命留。

弘熙：耶，婚姻之事，寡人可以等，但是玉璽的下落，關係國家大事，寡人無印，如何向外邦宣揚國威？

皇后：（唱）我雖是正宮的地位，

國家大事全無過嘴，
玉璽失落在叨位？
問我豈不是無智慧？

弘熙：寡人一再對妳呑忍，好言相勸，想不到妳不但不知感恩，反而對寡人如此凌辱？

皇后：皇上失蹤，我早已了無生趣，要斬要殺由在你！

弘熙：妳——妳如此不知好歹，不要以爲寡人不敢殺妳！

馬昌：耶——皇上請暫息雷霆之怒，此事還是由老臣來講——

△弘熙冷哼一聲，站至一旁

馬昌：娘娘，請聽老臣一言——
（唱）怒容相向我諒解，
但辱罵皇上卻不該，
凡事皆是天安排，
娘娘自重以免惹災。

皇后：（唱）乞丐顚倒將廟公趕，
講你奸臣不是將你賴，
生死我已經看破，
隨在你要殺也要剮。

如龍：耶——皇后娘娘，妳怎麼好像在教訓兒子？

公主：你在說什麼？
如龍：我無講！啥攏無講！對！娘娘罵得妙罵得好——
馬昌：如龍，還不退下！
如龍：我又作錯什麼？
皇后：是非曲直自在人心，馬太師心中若無差錯，何必如此大怒？難道你想殺我？
馬昌：娘娘貴為正宮，一人之下萬人之上，誰人敢造次？但妳不要忘了殿下——
公主：你們想對阮皇兄怎樣？
馬昌：只要娘娘講出玉璽下落，我就保證殿下的安危！
皇后：你眞卑鄙——
馬昌：老臣只是關心國事，娘娘也應當以國家為重——
皇后：我不知玉璽的下落——
公主：你們聽到沒？阮母后不知玉璽的下落——
如龍：對——她們不知道啦，咱們回去——
馬昌：住口！沒你的事，站一邊去——
如龍：我實在有夠衰——
弘熙：耶——太師，不可對娘娘如此相逼，娘娘是傷心過度，一時忘記，再過幾日也許伊就想起來了——
公主：你們這些人實在「眞番」！說不知道玉璽的下落，還在這兒嚕嗦？

馬昌：若是如此，我也不知會發生啥代誌，到時因爲無玉璽引起朝中大亂，那我就無法
　　保證妳們以及太子殿下的安全——

皇后：這嘛——

公主：無要緊，我會保護阮皇兄——

皇后：好！此事我會考慮！明珠，咱來去——

　△皇后拉著公主欲離去，如龍上前攔阻

如龍：且慢——

公主：你想作啥？

如龍：我是大元帥，負責妳們的安全，妳們要去那兒應當加我講！

公主：是按怎要加你講？

如龍：我才能跟妳去——

公主：閃開啦——

　△公主又是一巴掌——

如龍：啊——阿爸！伊擱加我打！

馬昌：哼！朽木不可雕也！娘娘欲往何方？

皇后：我——我要去媽祖廟燒香，祈求媽祖保佑，早日找到皇上，難道按呢也不行？

弘熙：媽祖廟！

馬昌：既是如此，老臣豈有攔阻之理，娘娘請——

△皇后與公主相偕離去——

如龍：阿爸，按呢就放二人離開——？

弘熙：太師，這莫非有啥玄機？

馬昌：一定是彼個青風道長——

弘熙：是媽祖廟的主持？

馬昌：正是，坦白講，我少年時拵曾經與他同拜武當門下，後來我與他個性不和而分道揚鑣，沒想到後來伊受朝廷重用，主持宮中這間廟寺——

弘熙：如此說來，這個道長要相當注意——

馬昌：皇上放心，我會交待如龍去辦！但是我認爲現在應當來一個釜底抽薪之法——

如龍：阿爸，你有何妙計？

馬昌：爲了一勞永逸，不如藉機會叫娘娘召明恆太子入宮，然後殺之，以除後患——

△馬昌向二人耳語，三人得意笑著——

△躲在屛風後的如瑩偷聽——

弘熙：哈——妙計！妙計！太師，就照計行事——

馬昌：是——

△三人大笑，從右舞台下

△如瑩從屛風後走出——

如瑩：（唱）如瑩心中暗驚疑，

原來父兄下錯棋，
陷害殿下更愚痴，
趕緊稟報殿下去——

△如瑩焦急地隨後追去——

△燈暗

第四場　陰謀再現

場景：媽祖廟前

人物：皇后、道長、明恆、公主

△燈亮時，舞台上方似乎有鬼魅之影，但仔細聆聽，原來是風聲——

△皇后與公主戰戰兢兢地從右舞台上，四處搜尋

皇后：皇兒——皇兒——阿娘來看你——

△回應皇后的是沙沙風聲——皇后不免沮喪——

公主：母后，這兒陰森森，那會有人？咱緊來返啦——

皇后：（唱）風吹樹梢驚見影，
怯步返身是廟廳，

骨肉深情找無子，
猶如墜落熱火鼎。
皇后：皇兒說伊要來媽祖廟，卻不見伊的形影。老賊不但霸佔江山，又擱逼我獻出玉璽。
我若獻出，恐驚皇兒與我的性命難保——這要如何是好？
△道長從內走出，公主嚇了一跳——
公主：哇——嚇死人——
道長：無量壽佛，娘娘駕到，貧道未曾遠迎，罪過——
皇后：原來是道長——請問道長，可知太子殿下的下落？
道長：這嘛——殿下自從看見皇上的魂體了後，就無暝無日在後山找尋——
皇后：啥？皇上的魂體？那皇上伊——？
（唱）皇上花園來失蹤，
我心肝就起風浪，
魂魄若像一陣風，
我是要按怎加皇上講？
道長：（唱）生死有命難脫定數，
只恨奸人心肝黑，
稍安勿躁待機緣到，
雲開日出光明路。

皇后：那現在要如何是好？

道長：玉璽之事，自有媽祖保佑，娘娘不用耽心，倒是殿下與妳——

皇后：只要殿下能夠安然，我自己能夠應付——

道長：殿下年輕氣盛，恐驚沈不住氣，最好妳不要跟他見面，乎伊暫住這間媽祖廟，以渡危機——

皇后：這嘛——可是奸王以及太師不達目的，伊是不會善罷甘休！

道長：娘娘放心，天數自有循環，太師縱有詭計多端，貧道自有方法化解。

皇后：那玉璽——？

道長：（制止）噓——小心隔牆有耳，玉璽現在在一個安全的所在！

皇后：既然如此，那——我就將殿下交乎你了——

道長：請娘娘放心，天色既暗，娘娘還是早早回宮罷——

公主：對啦！母后，這兒暗暝摸，咱緊返來了啦——

皇后：罷了——

道長：恭送娘娘——

△皇后與公主從右舞台下後，明恆激動地從左舞台上——

明恆：父皇在那裡？父皇在何處？

道長：唉啊——殿下——

明恆：（唱）心情如蠟原無味，

恩望孝親春四時，
無疑天妒父子離，
天倫是否已忘記？
哀哀孤子似鳥啼，
宮廷驚變有玄機，
祈求上蒼乎我指示，
難道世上已經無正義？

道長：殿下何苦如此折磨自己？

明恆：師父，你講，阮父皇到底是生是死？如果是生，爲何我會看到伊的魂體？如果是死，伊的屍體在何處？

道長：唉，相見總是緣機，不見何用懷疑？時機若到，上蒼自然會乎你一個解答。

明恆：既然如此，何用如此折磨我呢？請你告訴我，我父皇無死，對嗎？

道長：唉！生就是死：死就是生，殿下何必如此心急？

如瑩：不好了——不好了——

△如瑩焦急地從右舞台上——

明恆：如瑩，何事不好？

如瑩：殿下——

（唱）如瑩匆匆來告示，

殿下處境有危機，
奸王父兄出計智，
要你回宮將你除。

明恆　：（唱）果然先下手是爲強，
慢下手就受災殃，
豈能只逞匹夫之勇，
必須思計來參詳。

如瑩：殿下，這件代誌是我親耳所聽，皇上跟阮阿爹要藉娘娘請你入宮之際，暗中陷害你！

道長：此事當眞？

如瑩：當然是眞的！如果若不是眞的，我怎麼會這麼緊跑來報訊？

道長：嗯——奸王終於採取行動了——

明恆：哼！就算伊安排了油鼎刀山，我也是要闖他一闖！

如瑩：殿下，你何必用自己的生命來賭氣呢？依我之見，不如你就暫避在後山山中，如此一來不接聖旨，不入後宮，皇上也對你無可奈何！

明恆：一味逃避，是懦夫的行徑，俗語說：不入虎穴，焉得虎子！不如將計就計，待吾入宮與母后相會，看伊有何能耐！

道長：殿下——明知山有虎，偏向虎山行！你的意志堅定，貧道也無法攔阻——！

如瑩：師父，你怎麼不勸阻他？

道長：有時死門是生門——只是貧道有一項代誌，望殿下謹記在心！

明恆：請師父明示——

道長：（唱）魚躍鳶飛臻化境，
死門猶原有生徑，
愚痴聰慧本不爭，
雨過天晴水自清。

△道長在明恆耳邊細語

明恆：（唱）師父之言記在心，
師徒之情豈止千金，
此去若是無回音，
來生必報恩情深。

如瑩：（唱）如瑩心中像火煎，
矛盾猶似彈琴弦，
兩難親情擺在前，
默然流淚問蒼天。

△如瑩傷心地啜泣起來——

△明恆不忍地上前安慰——

明恆：如瑩——多謝妳來通報這個消息，我知影妳心中矛盾，我——我將來絕對不會負妳——

如瑩：我按呢作只是替父兄贖罪，希望殿下能夠原諒伊的所做所爲——

△明恆正欲說什麼，如龍持聖旨到

如龍：聖旨到——（衆人接旨）皇上有令，速命殿下明早往到後宮，有重要事情商量——欽此——

△衆人訝異的神情

△燈暗——

第五場　太子發狂

場景：皇后寢宮

人物：皇后、明恆、公主、如龍、弘熙、馬昌、宮女

△燈亮時，如龍先行入內

如龍：阮爸眞會「想孔想縫」，想就想，「歹孔的」全部攏叫我做——

△突然傳來腳步聲，如龍急急躲入屏風後

△皇后與公主上，皇后落落寡歡

皇后：（唱）思念殿下淚襟沾，
　　烏鴉飛躍在欄干，
　　心中無端一陣寒，
　　何事令人心不安？
公主：母后，別想那麼多，吉人自有天相，父王和皇兄一定無代誌啦——
　△宮女匆匆入內
宮女：啓稟娘娘，太子殿下求見——
公主：啊？阮阿兄返來了——
皇后：啊？皇兒無故來後宮，必有事情發生，快宣伊進見。
宮女：是——
　△宮女出，引明恆入內
明恆：參見母后——
皇后：皇兒，你師父不是叫你暫避後山，何故入後宮？
明恆：奸王下旨，說是皇后有要事要與我商量——
皇后：唉呀，不妙——
　（唱）六月芥菜假有心，
　　奸王心肝像豹熊，
　　引你入宮將你禁，

皇兒可比落水沈。

明恆：（唱）寃仇親像汪洋大海，
明知危險我嘛是要來，
放妳一人我大不該，
恐驚奸王會加妳害——

皇后：皇兒，我看這件代誌必有陰謀，趁伊尚未到此，你快快離開！

公主：對啦！皇兒，你快走呀！

明恆：母后要我離開，莫非是驚奸王加害於我？但放母后一人單獨在後宮，皇兒如何能夠安心？

皇后：奸王所圖乃是失落的玉璽，只要皇兒你若找到玉璽，奸王自然江山不保！

明恆：可是玉璽到底失落在何處，皇兒是一無所知——

皇后：這嘛——皇兒，附耳過來——

△皇后正欲告訴明恆，突然屏風後發出聲響——三人訝異回頭——

皇后：啊？何人躲在屏風之後？

公主：前日才打掃過，難道會有老鼠？

明恆：母后，能夠躲在屏風之後偷聽的人，只有奸王以及太師這班人，既然伊有害人之心，就不能怪我有害人之意——

皇后：皇兒，你想要作啥？

明恆：如果是奸王，那正是上蒼助我——

△明恆拔出劍來，猛然刺過屏風

△屏風後傳來痛苦叫聲，原來是如龍中劍——

明恆：啊？原來是你——？

如龍：你——你竟然敢殺我——我——公主——我會死啦——

公主：啊？怎麼會是你？流血了，救人呀——

△如龍痛苦倒地時，傳來內侍聲音——

內侍：（OS）皇上駕到——

△弘熙與馬昌匆匆趕到

弘熙：啊？這是怎麼一回事？

馬昌：啊？如龍——是啥人加你殺的？

如龍：是太子殿下——沒說啥就一刀加我闍下去——

弘熙：啊？太子殿下？你竟然敢在後宮仗劍行兇？來人，將伊拿下——

△武士將明恆擒下——

皇后：不行——你們不能抓他——

明恆：哈——抓得好——抓得妙——

△明恆似乎想起師父的交待，突然變得瘋瘋癲癲起來

明恆：（唱）你抓我來我抓你，

乎人抓著作細姨，
天頂一隻白鷺鷥，
看咱大家在搬戲。
公主：母后——皇兄怎麼變成按呢？
皇后：皇兒——你是怎樣？按怎變成狂狂癲癲？
明恆：（唱）大家站這眞適司，
身邊奴才擱奴婢，
尙好將伊攏殺死，
免得氣魯又擱了米。
△弘熙、馬昌似乎也迷惑了——
馬昌：皇上——殿下怎麼變成這樣？
弘熙：哼！既是後宮行兇，理當斬首——
馬昌：且慢，皇上若斬太子，豈不是惹人議論。老臣看伊舉止好像發狂，不如將伊放逐外邦，讓天下人感受聖上的宏恩！
弘熙：放虎歸山，恐怕——
△馬昌急急向弘熙耳語，弘熙不住點頭
弘熙：娘娘，太子殿下在後宮仗劍行兇，妳也是親目所見，但寡人登基未久，不願再造殺孽，所以暫時將太子殿下放逐外邦！

皇后：不行——你不能這樣——

馬昌：娘娘，放逐外邦只是表面行事，以後等風頭若過，再接伊回家就是——

如龍：阿爹，伊無端拿劍傷我，難道按呢就算了？

馬昌：住口！皇上面前，豈有你講話餘地？

皇后：皇兒——

（唱）無端又生一事端，

吾兒精神為何來錯亂？

難道上蒼會失算，

那無皇子那會變人犯？

明恆：（唱）代誌實在無趣味，

按怎哭哭又啼帝，

莫非是我惹妳生氣，

若是我加妳回不是！

明恆：哈——眞好玩——這個女人無代誌一直哭——妳是不是找無妳的子？

皇后：皇兒——難道——你眞正起瘋了嗎？

明恆：起瘋？對——我起瘋——啊，不對，是你們大家在起瘋——唉呀——這個所在是

按怎攏是「瘋仔」？我會驚——我要走，快放開我——

馬昌：哈——太子殿下，你免驚，你也免走，皇上會送你去一個你不曾去過的所在——

明恆：眞的？你無加我騙？

馬昌：當然無騙你——

明恆：哇——眞好，我要去郊遊——

如龍：有通郊遊，我嘛要去——

馬昌：來人，將殿下帶下——

△武士得令後，將明恆帶下——

皇后：皇兒——

公主：皇兄——喂，馬太師，你眞在眞好大膽，阮阿兄是東宮太子，你竟然敢將伊當作犯人？

馬昌：太子殿下仗劍殺人，俗語說：王子犯法與庶民同罪，放逐外邦也是合情合理——

如龍：對——加我殺這孔，要縫好幾針——

公主：啥麼合情合理，是馬如龍自己像作賊一樣，鬼鬼祟祟躲在屏風後面，才會乎阮皇兄錯殺，無死算伊命大！

如龍：公主，難道我乎人殺按呢，妳連一點同情心攏無？還講我作賊？

公主：（唸白）我若同情你誰人同情我？
皇兄乎人趕出皇宮外，
代誌攏嘛是你來牽拖，
講你作賊甘是加你賴？

如龍：（唸白）避在內宮我是不得已，
目的嘛是想要來看妳，
滿腹眞情告妳知，
痴狂爲妳莫懷疑。
公主：啊？你——母后，人家不知啦，伊加人戲弄啦——
△馬昌不悅上前阻止
馬昌：如龍，閑話少提，退下一邊——
如龍：阿爸，趁這機會我加公主多講一點心裡話——
馬昌：（怒）退下——
如龍：退下就退下，那麼大聲——唉喲，好痛！我會死啦——
△馬昌轉身面向皇后——
馬昌：娘娘，太子殿下雖然是放逐外邦，卻無性命之憂，妳應當清楚，這是皇上作情乎
妳！
皇后：作情乎我？
馬昌：是！皇上希望妳知影伊對妳是眞情的，妳若有想要報答伊，只要獻出玉璽，則可
保妳娘娘之位以及殿下性命——
皇后：此事不用再提，只要找到皇上的屍體，我會再作考慮——
弘熙：哈——好！我一定叫人趕緊去找，到時希望皇后妳不要反悔——

△弘熙先行離去

馬昌：如龍，還不快走——

△如龍不情願地隨馬昌離去，留下公主與傷心落淚的皇后

公主：母后——

△燈暗

第六場　巧遇戲班

場景：野外山景

人物：明恆、武士甲、乙、蕭宗、道長、戲班子若干

△燈亮時，落魄狼狽的明恆被兩名武士押解——

明恆：（唱）虎落平陽受犬欺，
皇子落魄充軍去，
一步一恨千萬里，
國仇家恨儘等緣機。
師父妙計是神算，
裝空裝憨非吾願，

奸王既然已造反，
豈會留我來爲患？

武甲：喂，趕緊走——
明恆：要去叨位？
武甲：當然是將你送去外邦，不快走，再走三個月也到不了。
明恆：我腳眞痠，二位大哥好心，乎我休息一下再走——
△武乙向武甲使眼色，兩人至一旁商議
武乙：既然伊走不動了，這個所在又擱無人所到，不如咱們就照太師的命令，在此將伊——
（作殺人動作）
武甲：嗯，按呢嘛好，早早將伊結果，咱們嘛可以早早返來交差——
明恆：兩位大哥是講咱們可以早早返來？是要返去兜位？
武甲：返去仙山賣豆乾——
△甲乙兩武士抽刀，明恆訝異
明恆：咦？兩位大哥拿刀作啥？啊？我知，你要殺雞請我？
武甲：眞歹勢，雖然你起瘋眞可憐，但是阮也是奉命行事。
武乙：對！希望你去閻羅王那兒不要埋怨——
△兩人舉刀過頭之際，突然一隊戲班子走來，兩人嚇了一跳，急急收刀
△明恆見狀，裝瘋賣傻地奔向戲班子——

明恆：喂——好多人——你們穿這樣眞趣味呢，我要加你逗陣。

△班主蕭宗困惑地望著明恆——

蕭宗：這位壯士，看你氣質非凡，怎麼有可能跟我們這些戲班仔逗陣，邁講笑啦——

明恆：戲班？好耶——人生如戲；戲如人生，人每天不都在演戲嗎？我要搬戲啦——

蕭宗：這——

△武士見明恆躲入戲班人群中，急急趕來

武甲：喂，我問你，你是戲班？

蕭宗：是——二位壯士是——？

武乙：阮啥人你不用知道，但是我勸你快快將彼位少年人放出來，否則你會惹禍上身。

蕭宗：這——

明恆：我不要啦——我要跟你們去搬戲，我不要跟他們去。

蕭宗：二位壯士，你們也聽到了，這位少年家不願跟你們走，並非在下強留伊——

武甲：哼！我無時間跟你們嚕嗦，反正今日要做之事乎你看到，你也不能活！

蕭宗：哈，你們要殺我？那你們是土匪？

武乙：是不是土匪，你去問閻羅王就知啦——

△武甲、武乙舉刀欲殺，蕭宗與戲班人員加入戰局

△明恆則站在一旁興奮地拍手叫好——好像他變成局外人一般

△戲班人員及蕭宗不是兩名武士的對手，紛紛被打倒

△武士二人轉向明恆，明恆躲避，好幾次危急之際均被巧妙避開

△最後一次急之際，青風道長趕到——

道長：住手——

△道長拂籐一抖，兩名武士的刀立即落地——

武甲：啊？是你？

道長：你二人聽著，速速回去稟告馬昌，叫伊不通再作傷天害理之事，否則必遭天譴！

武甲：好！你的話，阮一定轉達，你給我記住，老二，咱們走——

△武士撿起刀。狼狽而回

蕭宗：多謝道長相助。

道長：不用客氣——（轉向明恆）殿下，無恙否？

蕭宗：啥？殿下？

道長：不錯！正是當今殿下——

△蕭宗與戲班子急急跪下

蕭宗：蕭宗以及眾團員參見殿下！

△明恆定睛望著眾人——道長趨前勸慰

道長：殿下，蕭宗雖然是戲班班主，但是伊也是應天命來此與殿下相會，殿下可以相信伊眾人。

明恆：唉——眾人平身——

蕭宗：多謝殿下！請問殿下，方才彼二人究竟是啥來歷，爲何要殺殿下？

明恆：（唱）奸王造反呈殺機，
霸佔江山假傳旨意，
我孤掌難鳴受伊欺，
充軍半路要將我除。
忍辱負重只爲報仇，
師父替我決策和運籌，
親像孤鳥找無巢，
只有悲嘆腹中留。

蕭宗：（唱）蕭宗心中暗驚疑，
宮廷竟然出代誌，
我雖然是在搬戲，
忠孝節義我全知。

道長：（唱）今日之事乃應天理，
復國全靠這份天機，
計中有計有妙棋，
天理豈能任人欺。

蕭宗：唉！衆人只知新皇登基，卻不知裡面有這麼可怕的陰謀——那現在要如何呢？只要殿下吩咐一聲，蕭宗赴湯蹈火在所不辭。

明恆：現在兵權完全被奸王和太師把持，想要復國報仇，談何容易？

道長：請問蕭班主，貴團欲往何方？

蕭宗：不瞞道長，阮是受邀在新皇生日之際，為伊作戲獻壽。

道長：哦？當真？哈——正是天助殿下也！

明恆：師父，你是講？

道長：（唱）天地無私德是依，
綱常凜守志何遺，
奸王作壽乃循天理，
禍福災殃莫猜疑。

△道長向明恆道出計劃——

明恆：（唱）戲中有戲計中計，
可比夢中又喚醒，
看伊奸王怎樣假，
不信閻王留伊過五更。

蕭宗：（唱）興衰家國定於天，
一代君王一代賢，
除奸鋤惡正義現，

蕭宗豈會有怨言？

明恆：不行！我不能這麼做，萬一被奸王發現，不但無法報仇復國，反而連累衆人。

蕭宗：殿下請放心，能夠爲殿下出力，就算犧牲生命，這嘛是阮的光榮呀！

明恆：這——

道長：難得蕭班主能如此忠心識大體，貧道敬佩，殿下，你就邁想那麼多——

明恆：可是——人命關天——

道長：貧道倒是有一妙計，不知殿下以及蕭班主答應否？

明恆：啥辦法？

蕭宗：對！只要能夠幫助殿下，無論什麼艱難的代誌，儘管講無妨。

道長：咱不如利用戲班——

△道長向明恆及蕭宗耳語，兩人不住點頭——

衆人：（幕後唱）

天理昭昭總有報，

王子有戲班來倨靠，

這種代誌你找無，

忠臣義士自古多。

△燈暗

第七場 粉墨登場

場景：皇宮大殿

人物：弘熙、馬昌、如龍、皇后、內侍、文官若干、明恆、如瑩、公主、蕭宗、戲班若干

△燈亮時，宮廷大殿喜氣洋洋——（舞蹈）

△文武百官向弘熙拜壽——

衆官：恭祝皇上福如東海，壽比南山，萬歲，萬歲，萬萬歲。

弘熙：哈——衆卿平身！今日是寡人生日，本應喜氣洋洋，但是皇兄失蹤，娘娘傷心無法來與寡人同慶，實在是美中不足！

馬昌：參見皇上，這件代誌，老夫早已替你辦好——

弘熙：你是講——？

馬昌：老夫已經說服娘娘上殿，伊嘛要來加你祝壽呢！

弘熙：眞的？快請——

馬昌：宣——娘娘上殿——

△皇后、公主從右舞台上——欲入殿時，如龍仗劍攔住

如龍：娘娘，公主，妳們來了——等一下不知我有沒有榮幸站在妳身邊，我是總兵大元師呢！

公主：講伊是總兵大元帥，我看是無才七仔魁！
如龍：乎妳罵我無面皮，七仔魁甘有罪？
皇后：馬將軍，馬太師答應我若上殿替奸王作壽，伊就要將殿下送回，希望伊不要忘了
　　這個諾言。
如龍：眞的？無問題，只要娘娘和公主吩咐一聲，啥代誌我攏會替妳出頭——請——
公主：請？大仙王爺公，小仙王爺子！哼！
　△皇后入內，弘熙大喜——但皇后不下跪
馬昌：娘娘，見皇上怎麼不下跪請安？
皇后：（唱）我跪祖先與天地，
　　　　奸王你有啥面皮，
　　　　那有正宮跪皇弟，
　　　　豈不是天地顚倒旋。
弘熙：對——難得娘娘與公主到大殿來，這禮俗就免了，來，娘娘請來我身邊坐！
皇后：不用！我受皇上的恩寵豈能不知禮儀？你身邊之位就留乎未來的皇后吧！
弘熙：這——好！來人呀，賜座乎娘娘——
　△內侍扶來一張太師椅，放在右側前，皇后坐下，公主站一側
　△一名文官上前稟奏
文官：啓奏皇上，微臣爲恭祝聖上萬壽無疆，特別聘請一團戲班，演出「八仙過海」來

加皇上祝壽。

弘熙：哈——眞好！那就叫戲班當場在金殿面前演出，也好君臣同樂呀——

文官：是！下官即時去準備——

△文官離去後，燈光變得黯淡

△一群女舞者上，八仙陸續出場，蕭宗、明恆混雜其中

幕後：（唱）百年壽考開昌運，

萬國笙歌慶功勳，

八仙祝壽鬧紛紛，

豈知船過是水無痕。

戲中有戲計中計，

奸王不識五倫分際，

貪圖江山萬里地，

不知回頭全是假。

△戲班飾演皇后的演員扶著戲班皇帝走向下舞台的石椅

△皇帝表示欲睡，皇后拜別離去，皇帝趴在石椅上睡著了——

△一名黑衣人披斗篷，緩緩接近皇帝。見皇帝熟睡，四下無人，取出一瓶毒汁，注入皇帝耳中，皇帝大叫，痛苦掙扎奔逃去——

△弘熙突然大怒，拍桌站起——

弘熙：好了——不要演了——

△燈光又恢復光明——衆人見皇上生氣，個個面如土色

弘熙：我問你，這哪是八仙過海？

△黑衣人（明恆）不急不徐——

明恆：當然不是八仙過海，是我臨時替你改一齣戲，叫作「隋文帝歸天」！

弘熙：大膽！來人呀！將這個人抓出去斬了——

△明恆拿下黑衣斗篷——

明恆：且慢，誰人敢抓我？

△金階武士見明恆殿下威風站立，怯步不敢上前

明恆：劉弘熙！你謀害我的父皇，強佔江山，又擱想逼阮母后的親事，你該當何罪？

公主：皇兄——

皇后：皇兒——

弘熙：你胡說什麼？來人呀！將伊抓起來——

明恆：哼！你還執迷不悟？

（唱）頑冥不化欺皇嫂，
一錯再錯自惹禍，
勸你劍下來認錯，
以免金殿起風波。

弘熙：馬將軍——還不將欺君犯上的人抓起來？
如龍：啓奏皇上，末將想起與殿下尙有一劍之仇，我懇求皇上恩准我與殿下作一場公平
　　的決鬥！
弘熙：這嘛——
馬昌：皇上——
△馬昌走上金階，細聲向皇上獻計。弘熙點點頭
弘熙：按呢好！衆人聽著，太子無禮犯上，代念是皇兄之子，又是當朝太子。准予與馬
　　將軍決鬥。若勝利者，我不但贈送伊一粒夜明珠，而且御賜燒酒一杯！
△內侍分別拿出一把劍給如龍和明恆
馬昌：殿下，皇上寬懷大量，不念舊惡，今日乎你這個機會，希望你和吾兒以武會友，
　　點到爲止，不可傷了和氣。
如龍：殿下，請賜教！
△此時如瑩急急奔上殿——
如瑩：阿兄——不可——與殿下決鬥——
如龍：如瑩——妳敢私闖金殿，該當何罪？還不退下——
如瑩：兄長——
　　（唱）殿下與咱逗陣大漢，
　　　何忍寶劍來相殘，

不通乎人來離間，
你殺殿下怎會心安？

如龍：（唱）雖然殿下千金身，
豈可暗箭來傷人，
比劍只是討公理，
不是我反面不認親。

明恆：（唱）誤傷將軍我魯莽，
不知你會暗處藏，
我不是作事不敢當，
私事暫且放一旁。

明恆：馬將軍，奸王謀害我的父皇，難道你還要助紂爲虐？

如龍：一派胡言！今日決鬥乃是讓你知影，傷我馬如龍要付出代價！而且你若死，就不會阻礙我將來娶公主！

明恆：你既然執迷不悟，我多說無益——

如瑩：不行！我絕對不乎你們決鬥——

△如瑩攔在二人中間——

如龍：如瑩，還不退下！

△如龍一腳踢倒如瑩，明恆見狀欲上前，兩人就這樣一來一往鬥起劍來——

△幾個回合下來，如龍被明恆一劍劃傷左手——弘熙見狀立即叫停——

弘熙：停——戰鬥已經分出勝負，這杯酒我要賞賜殿下。

馬昌：對——皇上賜酒，你不喝便是不忠——

△馬昌接過酒，欲逼明恆喝酒

如龍：爹，請稍等一下，剛才是我自己不小心，不算不算啦——我一定要加伊分一個高下！

馬昌：但是這是聖上所賜，要分高下也要等殿下喝了這杯酒以後再決鬥——來，殿下，請接酒——你若無飲豈不是逆旨？

明恆：哼！我早就無承認伊是聖上，伊的酒我不喝！

弘熙：你——寡人一再對你容忍，你若不喝，就是逆旨，寡人立刻下旨將你處斬——（頓）來人呀——

△皇后一時心急——突然站起，搶過馬昌手上的酒

皇后：且慢——這杯酒我替殿下先喝——

弘熙：——娘娘，不行！妳不能喝！

△皇后望望衆人，態度堅決地一仰而盡——

△一時鴉雀無聲，皇后的步伐蹣跚起來——

明恆：母后——母后——妳是怎樣？

△明恆在皇后倒地前扶住了她——

皇后：皇兒——酒中有毒——快去媽祖廟——玉璽在——

△皇后在明恆耳朵旁細聲說——然後昏厥——

明恆：母后——

馬昌：殿下，方才娘娘好像有提到玉璽——

明恆：你——你這個老賊——

△明恆放下皇后，持劍欲殺馬昌，但如瑩攔身保護

如瑩：不行，你不能殺我阿爹——

明恆：好！我就先殺奸王，爲我父皇、母后報仇——

△明恆持劍殺向弘熙，如龍來救駕，雙方又打殺起來。戲班與武士也混戰 起——

△明恆衆人漸感不支，且戰且退——

△如瑩與公主扶起皇后——

如瑩：皇后——娘娘——

弘熙：快！快取解藥來解救娘娘——

內侍：是——

△內侍匆忙入內，半響又拿一盒解藥而上——

△弘熙接過，取藥餵食皇后——

弘熙：娘娘——醒來——

皇后：（唱）茫耶——茫——依——

匆匆已見奈何鄉，
醒來全不知方向，
心中一陣的惶恐，
殿下平安或是凶？
公主：母后——醒來——
馬昌：娘娘醒來了——
皇后：我已經替我皇兒喝下那杯毒酒，難道你還不想放過我？
弘熙：哼！妳明知玉璽的下落，不肯吐實，現在殿下已經退回後宮媽祖廟，我要妳逗陣去，若無講出玉璽的下落，絕無放妳干休——
△皇后訝異痛苦的表情
△燈暗——

第八場　玉璽重現

場景：媽祖廟前
人物：明恆、如龍、蕭宗與戲班子、道長、馬昌、皇后、如瑩、公主、弘熙、弘度
△燈亮時，戰鼓喧天——

△明恆與如龍戰得難分難解，但終寡不敵眾，與蕭宗等戲班子且戰且退——

△明恆一個不留神，跌倒在地，如龍見狀機不可失，持劍欲殺——突然——

道長：且慢——

△道長手持拂塵，正好架開如龍的劍——

如龍：你——？青風道長，莫非你是活得不耐煩？

道長：馬將軍，休得猖狂，俗語說：得饒人處且饒人。何況殿下乃當今東宮太子，你劍現殺機，豈不是犯了欺君大罪。

如龍：哈——

（唱）小漢我處處讓殿下，
如今乎你知影我嘛不差，
月亮獨火有時嘛會熄，
我不是永遠在你之下。

明恆：（唱）奸王妄想逆天理，
馬兄何必受伊欺，
你我猶如是兄弟，
前嫌盡棄莫懷疑。

道長：（唱）馬家野心已昭然，
罔顧倫常必受天譴，

殿下與你感情永不變，

不然禍事就在眼前。

如龍：哼！人不為己，天誅地滅。阮阿爸講，殿下若死，以後我才能當皇帝！看劍！

道長：無知小輩，自惹其禍——

△道長拂塵左右拂掃，如龍退後幾步——

如龍：啊！原來你是深藏不露的高人？

馬昌：哈——不錯！青風道長正是眞人不露相！

△馬昌、弘熙及武士押著娘娘（由如瑩與公主扶持）陸續上台

如龍：阿爹——這牛鼻子加我欺負——

馬昌：（制止）啓稟皇上，青風乃是先皇的至友，很早就被先皇安排在後宮的媽姐廟，依我觀察推測，玉璽失落可能是事先安排，而且跟青風道長有關。

弘熙：哼！青風道長，你可知罪？

道長：貧道乃世外之人，不問風塵俗事，未知身犯何罪？

弘熙：太師說是玉璽失落與你有關，最好你快快獻出玉璽，寡人可饒你死罪，否則你會身首異處！

道長：事到如今，我也不願相瞞，玉璽確實放在這間媽祖廟內。

明恆：啊？為啥玉璽會在這個所在？

道長：貧道很早就看出皇上日後會有不測，所以與皇上下棋打賭，皇上若輸就將玉璽放

在廟內，由媽祖保管，以避災厄。

馬昌：哈——可惜，皇上還是失蹤了——

弘熙：哼！我現在就將你殺死，看你還有啥才能？

△弘熙抽出寶劍，欲殺青風，誰知上舞台突然出現弘度的身影——

弘度：皇弟——你害得我好苦——

弘熙：啊——皇兄——不——有鬼——

△弘熙嚇得躲到馬昌父子後面

馬昌：你——到底是人還是鬼？竟敢在這裡裝神弄鬼？

弘度：馬太師——寡人待你不薄，你竟然與奸王謀害寡人，寡人要你償命——

馬昌：哼！宮廷之內裝神弄鬼，看我如何治你——

△馬昌作勢雙臂一揮，突然狂風大作——

明恆：休得傷吾父皇——

△弘度差點被吹倒地，明恆上前扶住他。道長亦雙臂一揮，逼退了馬昌

道長：馬昌，休得猖狂——

馬昌：你——

明恆：父皇——果然是你，皇兒找你找得好苦——

弘度：皇兒——你回來了——寡人等你很久了——

△衆人訝異不已——

明恆：(唱)驚聞父皇來失蹤，
　　無意在此來相逢，
　　幽幽魂體如一陣風，
　　恐驚轉眼又失影蹤。

弘度：(唱)花園受害命險喪，
　　幸得道長法力通，
　　將我媽祖廟中藏，
　　暫避宮廷的風浪。

明恆：(唱)父王母后皆受苦，
　　可惡奸王心肝黑，
　　縱然這是無盡路，
　　復國擒凶報皇祖。

△明恆回頭，見皇后受制，不敢冒然上前

皇后：皇上、皇兒——
　　(唱)事已至此勿躊躇，
　　江山幸有賢人扶，
　　不用爲我來顧慮，
　　一念之仁全盤皆輸。

弘度：皇弟——寡人待你不薄——你竟然謀害寡人，你心中可有天理國法？

弘熙：這——哼！勝者爲王，敗者爲寇。我勸你還是乖乖獻出玉璽，寡人也許可以饒你不死，否則這回可不比上回能幸運活命！

弘度：住口！你謀害寡人，罪該萬死，還敢口出狂言？皇弟，快快放開你的皇嫂！

弘熙：哈——坦白講，你若不立刻交出玉璽，娘娘的生命恐怕難保——

弘度：你——

皇后：皇上，千萬不可！

明恆：娘——皇叔！既然父皇無恙，那萬事皆休，你快放了我娘，就當作啥代誌攏無發生。

馬昌：皇上，千萬不可中了伊的計策！只要咱們奪得玉璽，美好江山就在咱們的掌中。

明恆：哼！馬太師，今日發生這種宮廷之變，攏是你在背後操弄。如今既知父皇鴻福齊天，你不思悔過，竟然還作困獸之鬥？

馬昌：哈——誰勝誰負還未知曉！我若無施展絕招，你們是不會知道我的厲害——龍兒，上！

△如龍欺身上前，與明恆單打獨鬥——半響分不清勝負，且戰且下——蕭宗戲班子與衛士也且戰且下

弘熙：馬太師，快將伊大家抓起來——

道長：無量壽佛，有貧道在此，休得對皇上無禮——

馬昌：哼！青風，咱過去的帳現在也該一起算一算了——

道長：很好！你有何能耐，儘管施展過來，貧道奉陪——

△只見道長與馬昌同時雙臂揮動作法，瞬間狂風大作，雷電加交，風雲變色，天搖地動。衆人紛紛走避，只有馬昌和道長依然屹立不搖，看來二人的法力半斤八兩

馬昌：哈——多年不曾交手，青風老道你的功力果然不比以前。

道長：好說！馬太師法力無邊，只可惜不扶正道，逆天而爲——

馬昌：哼！閒話少說，我要乎你見識我苦練數十年的「木乙神功」——

道長：什麼？木乙神功？

馬昌：怎樣？你也知道木乙神功是你的剋星？青風！納命來——

△道長急急走至大殿前——

道長：馬太師，希望你三思——木乙神功雖是我的剋星，但金石神器乃是你的剋星——

馬昌：哈——你不用嚇我！此地何來金石神器？青風，看招——

△馬昌瞬間出招，道長拉下繩索，扁額上垂下綠色玉爾。玉璽發出神光，馬昌被震得倒地——

△如瑩急急扶起馬昌——

如瑩：阿爹——

△皇后、公主奔向弘度——

皇后：皇上，你無恙？

公主：父皇——你沒死？

弘度：妳們受苦了——

△弘熙見狀欲逃，卻被道長拂塵一捲捲回——

道長：奸王那裡走？

弘熙：皇兄——饒命——

△此時如龍與明恆又戰回廟前——

明恆：馬如龍，還不快束手就擒。

如龍：啊？我——哼，要我束手就擒，除非我亡！看劍——

△如龍與明恆又打了起來，但如龍氣勢已弱，不出幾招，敗在明恆手中——如瑩急衝救兄——

如瑩：殿下——請手下留情，請饒恕我父親與兄長，這一切攏是王爺心懷不軌——

如瑩：（唱）手下留情父兄命，
馬家雖然鑄錯成，
代念你我相知性，
豈讓悲劇再發生？

明恆：（唱）天理昭昭有報應，
君臣五倫道理明，
並非是我使惡行，

伊的行爲使人寒在胸。

如瑩：阿爹，阿兄，只要你們快向皇上、殿下承認錯誤，皇上一定會既往不究——

馬昌：這嘛——

如龍：對啦！我認輸，我認錯，殿下，你不要加我計較啦——

弘熙：那我呢？皇兄，這攏是馬太師教我這麼作的，你一定不通追究——

弘度：唉！你若知錯，寡人自會乎你自新的機會！

衆人：多謝皇上——

道長：是啦！一切攏是貪慾作祟——不過經此巨變，不但水落石清，而且有情人也將成眷屬，這一切攏是媽祖保佑——

衆唱：（唱）風風雨雨起風波，

媽祖保庇才免禍，

人性貪慾一時錯，

向善才有大好山河。

△明恆與如瑩雙雙對對，弘熙與馬昌、如龍慚愧立一旁。如龍不時望向公主，公主冷哼不理

△燈暗時，衆人皆欣喜

△全劇終

歷年創作紀錄

歷年創作紀錄

著作名稱	發表日期	備註
生命的拷貝	75.7.21.	新聞局優良電影劇本
雲門舞鞋	75.7.21.	新聞局優良電影劇本
迷途	76.07.	新聞局優良電影劇本
雷雨之夜	76.08.	教育部文藝創作獎第三名
婚禮	77.06.	文建會優良舞台劇本佳作
急診室風波	78.07.	文建會優良舞台劇本第二名
永恆的快門	79.	耕莘文學獎首獎
詛咒	80.	小說集／漢藝色研出版
眞情的覺悟	80.	八十年度廣播劇本金環獎第一名
明天是新年	80.03.	文建會優良舞台劇本第一名
夜戲	80.03.	文建會優良舞台劇本佳作
台北車站	81.	教育部文藝創作獎第三名
古枕	81.	小說集／漢藝色研出版
雷雨之夜	81.04.	耕莘公演舞台劇本
艾莉絲夢遊記	81.05.	文建會優良舞台劇本佳作

綀芋／原著錢中平	81.10	耕莘公演舞台劇本
聽說你家是龍穴	81.12.	耕莘公演舞台劇本
眞情的覺悟	82.	舞台劇本
三代刑警	82.	八十二年度廣播劇本金環獎
艾莉絲夢遊記	82.05.	耕莘公演舞台劇本
四次元的劇本	82.12.	耕莘公演舞台劇本
龍吐珠	83.	八十三年度青年日報文學獎佳作
台北大劈棺	83.	教育部文藝創作獎
幻想擊出一支全壘打	83.	小說集／遠流出版
天暗燒香去囉／原著沙究	83.05.	公視電視劇本
幻想擊出一支全壘打	83.12.	耕莘公演舞台劇本
幻想擊出一支全壘打	84.	鏡子劇團社教館舞台劇本
尋找佛洛依德	84.	教育部文藝創作獎佳作
大頭三部曲	84.	兒童舞台劇本
未定名	84.	舞台劇本
半身冤	84.	歌仔戲劇本、未定稿
吊人樹／原著王拓	84.	公視電視劇本
相逢台北橋	84.	聚點劇團社教館舞台劇

台北車站	84.06.	耕莘公演舞台劇本
閹雞／原著張文環	84.06.	台北戲劇季
死者／原著李爲仁	84.07.	晚晴劇團藝術館舞台劇
請摘下你的墨鏡	84.08.	文建會優良舞台劇本佳作
獨家報導	84.08.	文建會優良舞台劇本佳作
龍吐珠	84.12.	國家文藝金像獎劇本類第一名
比文招親（上）	85.	台北戲劇季歌仔戲劇本
再生緣（下）	85.	歌仔戲劇本
尋找佛洛依德	85.	八十五年度教育部文藝創作獎舞台劇本佳作
腦中腦	85.	佛光山文學獎佳作
獨家報導	85.10.	耕莘公演舞台劇本
藝妲間／原著張文環	86.	舞台劇本
昨天・今天・明天	86.	台灣劇團全省舞台劇
尋找佛洛依德	86.03.	耕莘藝術季舞台劇本
藝妲間／原著張文環	86.06.	公視電視劇本
春花望露	86.06.	公視電視劇本共21集
聖劍平冤	86.07.	台北戲劇季歌仔戲本
咱來去蕃仔林喔	86.07.	台北戲劇季客家舞台劇本

神明闖紅燈	86.10.	耕莘劇團公演舞台劇本
24小時防身術	86.12.	生活事典系列／時報出版
妙計連環	87.	歌仔戲劇本
新遊龍戲鳳	87.	歌仔戲劇本
獅王／原著黃美序	87.03.	耕莘藝術季舞台劇本
台北喬太守	87.05.	電視劇本
多紀的約定	87.09.	阿美族語劇本
木劍先生	87.10.	耕莘劇團公演舞台劇本
廿五張郵票	87.11.	公視電視劇本
春成的賠命錢／原著林雙不	87.11.	民視電視劇本
收藏·台北·一九九九	87.12.	舞台劇本
台灣我的母親／原著李喬	88.01.	八十八年度中正文化中心歌仔戲劇本第一名
螢火蟲的燈泡不亮了	88.05.	高雄縣立文化中心優良兒童舞台劇本徵選佳作
財神請鼓掌	88.05.	八十七年度教育部文藝創作獎歌仔戲劇本項第一名
離婚進行曲	88.05.	八十七年度教育部文藝創作獎舞台劇本項佳作
椅仔姑	88.08.	民視台灣奇案單元劇
死張活廖	88.09.	民視台灣奇案單元劇
屏東施門環	88.10.	民視台灣奇案單元劇

螢火蟲的燈泡不亮了	88.10.	第三屆耕莘藝術季演出劇本
淚灑愛河橋	88.11.	民視台灣奇案單元劇
赤腳婆	88.12.	台視六點半閩南語連續劇 28 集
誰人的子	89.02.	台視六點半閩南語連續劇 40 集
白鐵與朱紅	89.04.	雅歌第二屆文學獎散文類首獎
	89.5.4.	中國文藝協會第四十一屆文藝獎章
台北大劈棺	89.11.	第四屆耕莘藝術季演出劇本
淡水夕陽紅	89.11.	電視五集單元劇本
	89.12.9.	第一屆姜龍昭編劇創作獎
誰怕無敵鐵金剛	90.05.	第一屆兒童戲劇嘉年華演出劇本
露營	90.10.	第五屆耕莘藝術季演出劇本
羅漢腳仔	90.12.	九十年度教育部文藝創作獎歌仔戲劇本項第三名
我家住在鯨魚的肚子裡	91.05.	第二屆兒童戲劇嘉年華演出劇本

國家圖書館出版品預行編目資料

羅漢腳仔 / 黃英雄著. -- 初版. -- 臺北市 : 文史哲, 民91
面 : 公分 - (黃英雄歌仔戲劇本集 ; 1)
ISBN 957-549-454-7 (平裝)

854.5　　91013301

黃英雄歌仔戲劇本集 ①

羅漢腳仔

著者：黃英雄
出版者：文史哲出版社
登記證字號：行政院新聞局版臺業字五三三七號
發行人：彭正雄
發行所：文史哲出版社
印刷者：文史哲出版社
臺北市羅斯福路一段七十二巷四號
郵政劃撥帳號：一六一八〇一七五
電話886-2-23511028・傳真886-2-23965656
實價新臺幣三二〇元

中華民國九十一(2002)年七月初版

ISBN 957-549-454-7